ローマの眠り

IL SONNO ROMANO

あるいはバロック的遁走

谷川渥

目次

II

III

はじめに

ローマについて語ろうとすると、私にはいつも思い出されてならない映画がある。ロジェ・ヴァディム監督の『血とバラ』（一九六〇年）である。アイルランドの作家シェリダン・レ・ファニュの小説『吸血鬼カーミラ』（一八七二年）を原作とするが、この有名な女性吸血鬼物語とローマがいったいなんの関係があるのかと思われるかもしれない。原作では物語の舞台はオーストリアの森のなかの城だが、映画ではローマ近郊の緑豊かな丘の上に立つ城に移されている。墓地や古塔や廃墟といった意匠が用いられるのは原作同様である。ただ原作ではカーミラとその女性被害者＝語り手との一対一の関係が主軸になっているが、映画ではメル・ファーラー演じるカーンシュタイン家の当主の男性とエルザ・マルティネリ演じるその婚約者と男性のいとこにあたるカーミラ（映画のなかではカミーラと発音されている）との三角関係を背景にカーミラの叶わぬ恋が描かれており、アネット・ヴァディム演じる美しくも悲しい吸血鬼の運命に、日本公開されて初めて観た一九六二年は私はまだ中学生だったが、鮮烈な印象を受けたものだった。

だが私がこの映画に言及するのは、そのデカダンな耽美的物語の内容ゆえというよりは、じつは飛行機が滑走路を疾走離陸する場面から始まる映画の冒頭場面に、いまではパリからローマまでわずか九十分で行けるが五百年前は二ヶ月かかったものだったという女の声のナレーションが入るからだ。五百年という言葉にカーミラに憑依する女吸血鬼ミラーカの経てきた時間の長さが暗示されている。私が初めてローマを訪れたのはもう何十年も前のことだが、映画と同じようにパリからローマへ空路で入ったのである。ずいぶん時間がかかった気がしたが、それがこの映画によってたった九十分で行けたということをあらためて確認させられるのである。

私がパリ・ローマ間の時間的距離を実際以上に感じていたのは、まぎれもなく両都市間の印象の差異によるものだろう。同じヨーロッパの飛行機でわずか九十分を隔てる大都市でありながら、私にはパリは現代都市、ローマは古代都市としか思えなかった。初めてローマに入ったのは確か夏だったが、フィウミチーノ空港——レオナルド・ダ・ヴィンチ空港とも呼ばれるが——そこから車で街に向かうなかで私はまったく違った文明原理の土地に来たような印象を抱いたものだった。映画『血とバラ』と同じように。まるでヨーロッパではないような、いや、パリをヨーロッパを代表する都市とするなら、である。

私のこうした素朴な印象は、何度もイタリアを訪れなおしているうちにおのずからある種の変容をこうむったが、しかし基本はさほど変わらない。私に古代都市と思わせるようなものがあったとすればその内実はなんだったのか。もとよりローマに古代遺跡がおびただしく残されているからには相違ない。それが圧倒的な印象をもたらしたことは間違いない。しかしそればかりではない。まぎれもないヨーロッパの大都市でありながら、他の都市には感じられない古代性、つまり歴史の厚み、時間の厚み、時間の重層性と言ってもいいだろうが、それをひしひしと実感させられずにはいないからだ。それを自分なりに探ることこそが私の課題となった。

本書は、私のそうした最初の印象を起点とする、ローマをめぐるバロック美学的逍遥あるいはむしろ彷徨の試みである。リヴレスクな、つまり書物渉猟的なバロック美学についての気ままな逍遥であると同時に、それ自体リヴレスクにしてバロック的な「美学的」彷徨でもある。

なぜバロックなのか。ローマの古代性はバロック性と重ね合わされているからだ。古代都市はとりもなおさずバロック都市として現前する。そのことは本書のなかでおのずから明らかとなるだろう。

『ローマの眠り』。この卓抜なタイトルを私はイタリアの画家ファブリツィオ・クレリチの一枚の絵から借りている。本書はクレリチの絵の図像学的考察を中心的モチーフとし導きの糸とする私の自由気ままな美学的彷徨の軌跡である。

この「彷徨」を、クリスティーヌ・ビュシ＝グリュックスマンの『バロック的理性』（一九八四年）のなかの卓抜な表現を借りて、「表層のバロック的遁走」と呼ぶこともできるだろう。この書物は、著者によれば、「ヴァルター・ベンヤミンの作品に捧げられた旅」「モデルヌの旅」であって、それはなによりもまずボードレールの十九世紀への旅であり、そしてサロメへの旅、ムジルの、ヴァイニンガーの、クレーの危機的文化状況への旅、さらにはバルトやラカンのバロック的地帯への旅にほかならなず、要するにエウヘニオ・ドールスの言う「バロック的理性」を、モデルニテのさまざまなトポスのうちに探ろうとする試みである。

ビュシ＝グリュックスマンは、『バロック的理性』に次いで『見ることの狂気』（一九八六年）において、「視覚的無意識」（ベンヤミン）を「バロック的眼差し」のうちに探ろうと試み、「見ること」にまつわる「狂気」の諸相を主題化した、より徹底したバロック論を展開している。「表層のバロック的遁走」が比類のないバロック論を生み出しているわけだが、ここでは彼女の言説の特権的対象たるモデルニテの問題は措いて、私の美学的彷徨のために彼女の表現を借りるだけにとどめたい。「遁走曲（フーガ）」は、「主題を複数の声部や音程で繰り返し演奏する形式の音楽」のことだが、まさにそのような意味で私の「彷徨」はとりもなおさず「バロック的遁走」になるはずだ。本書をあえて『ローマの眠り　あるいはバロック的遁走』と称する所以である。

画家クレリチやピラネージの作品はもとより、私の撮った多数の写真（★を付したもの）も含めて、視覚的資料もあたうかぎり載せるように努めた。言葉と図版によるひとつの特異なローマ論、ローマ芸術論の試みとしてお読みいただければ幸いである。

ローマの眠り

あるいはバロック的遁走

I

「バロクス・ロマヌス」

「バロック概念の再検討こそ、今日もっとも現代的な美学問題のひとつである」、とスペインの碩学エウヘニオ・ドールスがその『バロック論』に書いたのは、一九三五年のことである。それから優に何十年も、一世紀近くといっていいほどの時間が経過しようとしているいま、しかしこの言葉は色あせるどころかますますその輪郭を際立たせつつある。そう、バロックはまさしくなお「もっとも現代的な美学問題のひとつ」にほかならないだろう。

とはいえ、われわれはグスタフ・ルネ・ホッケの『迷宮としての世界』(一九五七年)の議論を忘れてはなるまい。マニエリスムの概念を広く流布するにあたって決定的な役割を果たすことになった本書の邦訳(種村季弘・矢川澄子訳、美術出版社、一九六六年)は、モンス・デジデリオの亡霊めいた白亜の城が浮かび上がる《スザンナと長老たち》の絵を表紙に箱入りで刊行されたが、その箱の背には「未聞の世界ひらく」と題する三島由紀夫の文章が掲げられていた。三島の熱い言葉をあらためて確認しておこう。

二十世紀後半の藝術は、いよいよ地獄の釜びらき、魔女の厨の大公開となるであらう。今までの貧血質の美術史はすべて御破算になるであらう。水爆とエロティシズムが人類の最も緊急の課題になり、あらゆる封印は解かれ、「赤き馬」「黒き馬」「青ざめたる馬」は踊り出るであらう。この時に當つて、マニエリスムの再評價は、われわれがデカダンスの名で呼んできたものの怖るべき生命力を發見し、人類を震撼させるにいたるであらう。圖版も目をたのしませ、譯文はきはめて的確、一讀われわれは未聞の世界へ導き入れられる。

三島の予言どおりにはたしてその後「貧血質の美術史」が「すべて御破算」になったかどうかは意見の分かれるところ、というかはなはだ疑わしいと言わなければならないように思われるが、バロックとマニエリスムの問題が美術史の地平を一挙に拡大したことだけは間違いない。

そこでホッケは、ドールスが二十二種ものバロックを列挙した点に触れ、そうしたことが「豊富すぎるがゆえの困惑」(embarras de richesse) をもたらすことを指摘したのである。実際、ドールスの著書には、仏教バロック、岩窟バロック、世紀末バロック、さらには薬用バロックなるものまで挙げられているのだ。ハインリヒ・ヴェルフリン(『美術史の基礎概念』一九一五年)によるクラシック対バロックの二元論的図式を脱ジャンル的に敷衍して、一方に「古典的(クラシック)」なものを理念的に措定し、それに対立するものばかりか、それから少しでも逸脱するものならなんでも「バロック」の名を冠するのであれば、われわれは「バロック」のとりとめのなさ、安逸さのうちに埋没することにもなりかねない。

ところで、ドールスは「バロクス・マニエラ」の名のもとに歴史上のマニエリスムをバロック概念のうちにとりこんだけれども、ホッケはその師エルンスト・ロベルト・クルティウス(『ヨーロッパ文学とラテン中世』一九四八年）の議論を承けて、歴史的バロック様式の存在は認めつつも、それをいわば括弧に入れたまま、古典様式とマニエリスムとを人間性の二つの「原－身振り」（Ur-Gebärde）と規定し、あらゆる芸術現象のうちにそれを探ろうとした。古典様式とマニエリスムとの対立を、ここであらためて確認しておくことにしよう。ホッケによれば、それは以下のような範列同士の対立に翻訳される。構造―形象、男性的―女性的、ロゴス―秘密、自然的―技巧的、昇華―暴露、平衡―不安定、統一性―分裂性、統合―分解、硬化―解体、性格―個性、アニムス―アニマ、形態（ゲシュタルト）―歪曲（デフォルマチオン）、威厳―自由、秩序―反抗、円―楕円、慣習―人工性、神学―魔術、教義学―神秘学、明るみ―秘匿、等々……。

下位系列に示されたマニエリスムの規定を見れば、それがたとえばヴァルター・フリードレンダー（『マニエリスムとバロックの対立』一九五七年）が、「マニエラによる」（di maniera）に対して「自然による」（di natura）様式と呼び、ドールスが「汎神論、力動性……」と呼んだところのバロックとは本質的に異なるものであることは明らかだろう。「クラシック」なるものを一方の側に置いて、他方に「バロック」という「アイオーン」がくるのか、それとも「マニエリスム」という「原－身振り」がくるのかという問題は、それゆえなお未解決なままであると言わざるをえない。

もっとも、両者にさほどの差異を認めない立場もありうる。ホッケ自身、先の著書のなかで、楕円と蛇状曲線の手法（maniera serpentinata）とをマニエリスムとバロックとに共通の特徴とみなしていた。セベロ・サルディの『歪んだ真珠』（一九七五年）のように、ガリレオ的な円とケプラー的な楕円とを宇宙論的（コスモロジック）に徹底的に対立させる視点に立てば、マニエリスムとバロックとの差異は無視しうるものとなる。両者はともに楕円の宇宙に包摂されるであろうからだ。『官能の庭』（一九七五年）のマリオ・プラーツもまた、二つのいささか曖昧な芸術概念を差異化することに意を注ぐのではなく、むしろ両者を連続的にとらえようとし、蛇状曲線（linea serpentinata）という言葉に端的に象徴されるマニエリスムと、曲線の礼賛を主要な特徴とするバロックとの間にさほどの懸隔を見ていない。形象論的には、両者をひとしなみに語ることも可能なわけである。

ここではだからマニエリスムとバロックとの微妙な異同の問題は基本的に括弧に入れたままにしておくことにしよう。むしろここでは、あらゆるバロック論がいやおうなくそこから出発すべき歴史的バロック、ドールス流にいえば「バロクス・ロマヌス」すなわち「ローマ・バロック」、あるいは「バロクス・トリデンティヌス」すなわち「トリエント公会議バロック」を独特なかたちで際立たせているとおぼしい一個の画像を主題的に採りあげることにしたい。「バロックの風景」の端的な表現ともいうべき一枚の絵について語ることで、文字どおりリヴレスク・バロック美学彷徨が始められたならと思う。繰り返すなら、リヴレスクなバロック美学についての彷徨であると同時にリヴレスクにしてバロック的な美学的彷徨でもある、そのような「彷徨」である。

さて画家の名は、そうファブリツィオ・クレリチ（一九一三―一九九三）、採りあげる作品は、その名も《ローマの眠り》（il Sonno Romano）（一九五五年）[fig.1][fig.2]である。

fig.1 ファブリツィオ・クレリチ《ローマの眠り》(1955)

fig.2 ファブリツィオ・クレリチ《ローマの眠り》(1955)

ファブリツィオ・クレリチ《ローマの眠り》

ホッケはすでに『迷宮としての世界』のなかで、一九一三年生まれのこのイタリアの幻想画家に言及し、彼を「ヨーロッパ最初の〈伝統主義的〉超現実主義者(シュルレアリスト)のひとり」と呼んでいる。初め建築を学んでル・コルビュジエの講義を受けたこともある彼は、画家として転身し、デ・キリコやレオノール・フィニに出会い、十六、十七世紀のアタナシウス・キルヒャーやエアハルト・シェーンやジャン・フランソワ・ニスロンを研究し、ローマの死体公示所に入り浸り、外科手術に立ち会い、人体解剖図に執着し、そして奇妙に軽くて明るい廃墟世界を描き続けた。

ホッケの翻訳者種村季弘は、建築家から画家に転身したクレリチが、地上に揺るぎなく建つ建築を設計しなくなっただけで、砂上楼閣、蜃気楼、廃舟、舞台、廃墟のような地上に根拠づけられていない流動する建築ばかりを建てようとしたとして、そこに「万有浮力の法則」を見てとっている（『みづゑ』一九八五年春）。実際、《水のないヴェネツィア》（一九五一年）[fig.3]、《河の上の都市》（一九五九年）[fig.4]、《竜巻》（一九六五年）[fig.5]、《ヘルメス的物体》（一九七二年）[fig.6]、あるいはアルノルト・ベックリンの《死の島》（一八八〇年）をめぐる連作のひとつ《ベックリンの圏域》（一九七四年）[fig.7]といった作品に「万有浮力の法則」はとりわけ明らかだが、いずれにせよホッケとともに、「クレリチにあって決定的なもの、それは、死の、少なくとも譬喩のうえでは、ふたたび生の声に耳を傾ける死の、更新された象徴学なのである」とだけは言えるだろう。

ちなみに、クレリチはオムニバス映画『世にも怪奇な物語』（フランス・イタリア、一九六七年）においても一役買っている。第一話がロジェ・ヴァディム監督の「黒馬の哭く館」、第二話がルイ・マル監督の「影を殺した男」、そして第三話がフェデリコ・フェリーニ監督によるが、その第三話のスタッフに《Decorateur》として彼の名が挙げられているのだ。

すべてエドガー・アラン・ポオ原作の映像化で、第三話は《Toby Dammit》に基づくが、一九六九年の日本公開版では、これが「悪魔の首飾り」というタイトルになっている。Tobby Dammit というのは姓名だが、dammit は damn it（ちくしょう！）の縮約語で、もとより人名としてはありえない。ポオは「悪魔にこの首をかけてもいい」という言葉をのべつ口にするケチな男の末路を描いたのだが、フェリーニはこの物語を改変し見事な映像に移し替えた。初めてローマに来たイギリスの俳優トビー・ダミットをテレンス・スタンプが演じ、酒に溺れ神経を病んだ彼が歓迎パーティを抜け出し、貰ったフェラーリをぶっ飛ばす。目眩く変転する夜のローマ。フェリーニならではの映像美だ。これはもうひとつの『フェリーニのローマ』にほかならない。最後に橋が取り外された工事現場に来た彼は、そこで自分に取り憑いている悪魔の化身の少女の美しくも不気味な微笑に誘われるように猛スピードで突っ込むのである。少女が手にしていた鞠がいつの間にかトビーの首になっていたという次第。「悪魔の首飾り」というわけである。さて、《Decorateur》とは「装飾家」「舞台意匠家」という意味のフランス語だが、クレリチはほかならぬこの最後の光景をデザインしたらしいのである。まさしく「死の象徴学」と言うほかはない。

fig.3 ファブリツィオ・クレリチ《水のないヴェネツィア》(1951)

fig.4 ファブリツィオ・クレリチ《河の上の都市》(1959)

fig.5 ファブリツィオ・クレリチ《竜巻》(1965)

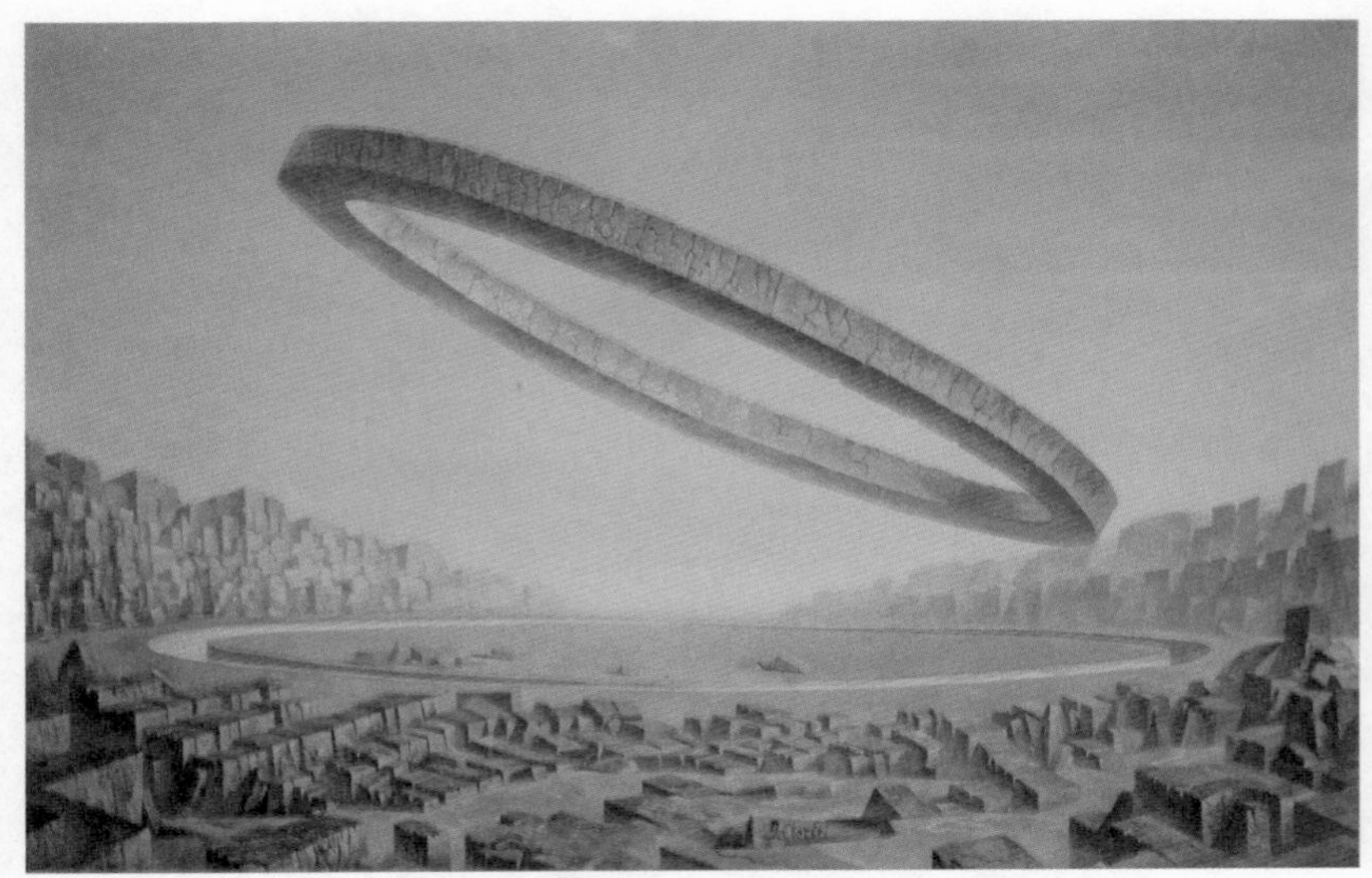

fig.6 ファブリツィオ・クレリチ《ヘルメス的物体》(1972)

fig.7 ファブリツィオ・クレリチ《ベックリンの圏域》(1974)

ホッケはまた、クレリチの作品《パレルモの大いなる懺悔》（一九五二年）に関して、それが「初期バロックのたぐいなく緊張した内部関係」をあらわすとも語っているが、クレリチの作品をバロックとの関係で論じることは、『幻想芸術』（一九六一年）におけるマルセル・ブリヨンによって、より徹底したかたちで進められている。そこでは《パレルモの大いなる懺悔》や《ローマの眠り》といった作品について、「バロック風の人目を奪う絢爛さ」とか「バロックの悲壮な身振り」とか「バロック的な悲哀」とか「バロックの憂愁に閉ざされた実存主義的・超現実的な形体」といった表現が次々とくりだされている。そこまではいい。ところが、ブリヨンは《ローマの眠り》について、こんなふうに書いているのだ。

あたかも台風一過のように廃墟を残して遠ざかっていった蛮族の侵略によって、半ば破壊された宮殿の中には古代の彫刻群が無造作に投げだされている。［中略］「モンス・デジデリオに類似したクレリチの世界は、またある程度キリコの〈廻廊〉時代を連想させるし、死せる町にはただ石像のみが呼吸しつづけているといった印象を与えてくれる。

ブリヨンはさらに、「破壊がいとも誇らしげに死滅した空間を進んでいくこの思想こそ、現代絵画の代表的存在であるクレリチを掴んだもっともユニークで重要なテーマに相違なかった」と続けている。しかしヴァルター・ベンヤミンがその『ドイツ悲劇の根源』（一九二八年）において十二分に論じているように、近代悲劇によって舞台に載せられる自然＝歴史の寓意的相貌がほかならぬ廃墟として現前するのだとすれば、クレリチの比類のない廃墟画もまた、物としての廃墟と観念としての寓意との独特の対応のうえに成立しているのでなければならない。

問題は、それゆえ、「半ば破壊された宮殿の中には古代の彫刻群が無造作に投げだされている」というブリヨンの言葉にもかかわらず、「無造作に投げだされている」ように見えて、じつは決してそれらが「無造作に」ではなく、どころか画家のきわめて周到な選択にもとづいて配置されたものであることを確認することにある。廃墟がすぐれてバロック的意匠にほかならぬこと、これは大前提である。しかしクレリチの作品においては、そこに表象された個々の彫刻が、もとより「古代の彫刻群」などと一括されようもなく、またそれぞれ独特の仕方でバロック的なものを指し示す。そこにこそ、この作品の真価があるというべきである。そのことをいささか詳しく追ってみたい。

ベルニーニの嬰

クレリチの《ローマの眠り》には、一九五五年に描かれ、ローマの聖ルカ国立アカデミーに収められた作品（90 x 150 cm）と、やや色合いの異なるそのより大きなヴァージョンがあるが、ここでは全体が緑がかったオリジナルの一点を採り上げることにしよう。そしてそこに表象された「彫刻群」に便宜的に1番から17番まで番号を振り、さしあたってそれらに順次言及するかたちで論述を

12
13
10
14
15
11
16
17
9

fig.8 ファブリツィオ・クレリチ《ローマの眠り》(1955)

進めて行くことにしたい。論述は、そう、おのずから「バロック的遁走」になるはずである。

左上方から斜めに光が差しこんでこの「廃墟」空間を照らしているが、そこで最初に光を受けているのが、「古代彫刻」どころか、まぎれもなくジャン＝ロレンツォ・ベルニーニ（一五九八―一六八〇）の《福女ルドヴィカ・アルベルトーニ》（一六七二―七四年）[fig.9]である。これが1番。「十七世紀のミケランジェロ」とも呼ばれるこの正真正銘のバロック彫刻家（にして建築家）の七十歳台半ばの作品は、ローマを縦断するテヴェレ川の川向こう、トラステヴェレ地区にあるサン・フランチェスコ・ア・リーパ教会のアルティエーリ聖堂に据えられている。

伝承によれば、一四七三年にローマに生まれたルドヴィカは、二十歳のときトラステヴェレ地区の貴族と結婚したが、十三年後に夫を失い、三人の娘を育てたあと、宗教生活に入って貧者に献身しつづけ、一五三三年に六十歳で死んだ。死後に「福女 Beata」と呼ばれるようになったが、正式にはその一三八年後の一六七一年、教皇クレメンス十世の時代にルドヴィカは福者に公認された。このときアルベルトーニ枢機卿が自家の生んだこの福者を記念す

fig.9 ベルニーニ《福女ルドヴィカ・アルベルトーニ》（1672–74）★

べくベルニーニに彫像を依頼したという。像は一六七四年に完成した。

わが胸を両手で揉みしだき、顔をのけぞらせ、口を開けたルドヴィカの苦悩と恍惚のないまぜになったそのありようこそ、ベルニーニの若き日の傑作、ローマのサンタ・マリア・デッラ・ヴィットリア教会にあるあの《聖テレサの法悦》（一六四七年頃）[fig.10]とまぎれもなく共通する、バロック的なるものの原光景を示すものと言っていい。ルドヴィカの実人生は、たんなる口実に過ぎないものとなるとさえ言えるかもしれない。

fig.10 ベルニーニ《聖テレサの法悦》（1647頃）

しかしなによりも全身を覆う無数の襞、それこそが問題だ。彫刻の表層の問題と言ってもいい。

この問題について私は拙著『形象と時間』（一九八六年）から『肉体の迷宮』（二〇〇九年）にいたるまで幾度も論じてきてはいるが、記述の重複を厭わずにここであらためて論点を整理しておこう。

彫刻の表層、矛盾した二つの言葉の組み合わせのようにも見える。彫刻とは、古来、なによりもまずマッスによって、ヴォリュームによって現前することを旨としてきたので、そうした量塊的現前性と表層という概念とは基本的に背馳するものと感じられるからだ。表層という言葉は絵画にこそふさわしいのではないか。そもそも表層ということが彫刻の世界で問題にされたことはあるのだろうか。

彫刻における表層の問題が採り上げられたのは、近代の芸術論の祖型をなすと言っても過言ではない、ヨハン・ヨアヒム・ヴィンケルマンの『ギリシア美術模倣論』（一七五五年）をもっておそらくは嚆矢とする。そこでは表層とは、端的に人体の皮膚のことである。ヴィンケルマンはこう述べている。

近代作家の多くの彫像においては圧し曲げられた身体の部分にあまりに目障りな細かい皮膚の皺が見られる。ところがギリシアの彫像にあっては、同じように圧し曲げられた部分に全く同じ皺ができている際にも、そこではひとつの柔軟な抑揚が次から次へと波のように高まって、これらのの皺がひとつの全体として相集って気品ある窪みをなしているように見える。これらの名作はひっつれるようなことなく健康な筋肉を柔らかくおおう皮膚を見せており、また筋肉も腫物のように膨らむことなく皮膚の内に充実し、肉の多い部分がいかなる屈曲をなしてもひとつになってその方向に従うのである。古代作品の皮膚はいかなる場合にもわれわれの身体に見られるような異常な、肉から離れた小皺は作らない。

健康な筋肉を柔らかくおおう古代彫刻の皮膚と目障りな細かい皺によって特徴づけられる近代彫刻との対比。「近代のギリシア人」たるヴィンケルマンにとって、軍配は紛うかたなく古代に上がるわけだが、ここで皮膚が充実した筋肉を指示するかぎりにおいて肯定され、皺として「肉から離れ」自立するかぎりで否定されていることに注意しよう。彫刻論のなかで主題化されるにいたったとはいえ、皮膚は筋肉への指示性のうちにいわば無化することを要請されている。皮膚という表層は、要するに目立ってはならないのだ。

このことはまた彫刻における着衣の表現の問題とも関連してくる。ヴィンケルマンは古代彫刻の衣文表現について、それを「美しい人体、高雅な輪郭に次いで、古代作品の長所の第三をなすもの」と位置づけつつ、こう書いている。

ギリシア彫刻にあっては着衣の下にさえ絶妙の輪郭がはっきりと現れている。それは大理石を通してさえ、［中略］その肉体の美しい骨格を表そうという作家の主要意図を示すものである。

これはたしかに事実の指摘ではあるが、古代彫刻が規範として仰がれている以上、総じて着衣が「絶妙の輪郭」「肉体の美しい骨格」を指示することを要求しているものであることは明らかである。着衣が肯定されるのも、皮膚と同じように、結局は「美しい人体」を際立たせるかぎりにおいてなのだ。だからヴィンケルマンが続いて「身体にぴったりと付いて、その裸形を見せている」

「濡れた衣服」に言及することになるのも、いわば当然の事態である。

ヨハン・ゴットフリート・フォン・ヘルダーは、その『彫塑』（一七七八年）において、ヴィンケルマンのこうした記述を承け、さらにラディカルに、彫刻には全然着衣させることができないこと、衣服を衣服として造形することができないことを強調する。もとより、ヘルダーは昔から着衣像が存在しなかったなどと考えているわけではない。彫刻というものが本来「美しい充実」を旨とするものであって、「垂れ下がっている塊」にすぎない衣服とは本質的に相容れないと主張しているのである。だからこそ「生まれつき美の芸術家であった」ギリシア人は、「青銅の被いと石の衣を投げ捨てて、造形されうるもの、すなわち美しい人体を造形した」わけだが、衣をまとわせねばならなかったとき、それゆえ彼らは衣は着けても包み隠さないようにする術を工夫せざるをえなかった。着物は身につけても、身体があたかも透けて見えるように美しいふくらみのある豊かさを保つ術、ヘルダーによればそれこそ濡れた着物、「濡れ衣」というものなのである。

前五世紀の作と推定される、いわゆるルドヴィチの玉座《アフロディテの誕生》[fig.11]などが、「濡れ衣」の典型的表

fig.11
《アフロディテの誕生（ルドヴィチの玉座）》（B.C. 5C）

現として直ちに思い浮かべられるところだろう。海から生まれ出ようとする中央のアフロディテ（ヴィーナス）を二人のニンフが左右から助け上げようとしている。アフロディテの上半身を覆った襞をなす薄布が、文字どおりの濡れ衣として両の乳房をあらわに見せている。左右のニンフたちの身につけた衣裳も、その流れるような襞によって、それぞれの下半身をくっきりと浮かび上がらせている。しかも真ん中のアフロディテの襞と左右のニンフの襞、そのニンフたちが持つ布の襞が、それぞれ微妙な異なりを見せているのだ。

一九二八年、ローマのディオクレティアヌス帝の浴場の遺跡にあるテルメ国立美術館を訪れてこの作品を目の当たりにした和辻哲郎は、『イタリア古寺巡礼』（一九五〇年）のなかで、その六本の腕の「構図の妙」、「ヴィナスの美しい首や胸や肩や腕などと、左右のニンフの胴体や腕などとのからみ合い」に感心し、さらに「衣紋の美しい流れ」に注目して次のように書いている。

左右のニンフの体を覆うている衣は、明らかに別種の布でできている。衣紋の流れ方の相違で、われわれはその布の触覚の相違をさえ感じ得るように思う。上衣においてその相違が実に顕著であるのみならず、下肢を覆う裳にもそれがはっきり出ている。左足にまとう布の皺のより方は、截然と違っている。二の腕に垂れる布もそうである。

そして和辻は、「が、この《ヴィナスの誕生》では、ヴィナスはまだ薄い衣をきている。海水に濡れてぴったり肌に着いてはいるが、それでも決して裸体ではない」と書いている。ヴィーナスが裸になるのは、それから数十年後だというわけである。ちなみに、アフロディテ（ヴィーナス）が、以後どんなふうに着物を脱いでいくかについては、澤木四方吉の『美術の都』（岩波文庫、一九九八年）に「アフロヂイテの脱衣」（一九一七年）という先駆的な論文が収められていることを書き添えておく。

さてしかし、「濡れ衣」概念の卓越性は、それが水に濡れていない衣服にも拡大適用できる点にある。たとえば、ルーヴル美術館にあるあの《サモトラケのニケ》（前四世紀）の魅力を構成する一つの要因は、まぎれもなくこの「濡れ衣」表現にあると言っていいだろう。向かい風を受けて美しい身体の起伏をあらわにしつつ流れるような襞をつくっているその衣紋表現が、まさに「濡れ衣」ならではのボディ・コンシャスにしてシースルーの効果を生み出しているのである。

こうしてヴィンケルマンやヘルダーによって彫刻における表層の問題が取り沙汰されるようになった背景には、なによりもベルニーニに代表される十七世紀バロック彫刻の存在があった。ヴィンケルマンは、「人も知るとおりあの大ベルニーニはギリシア人がその美しい身体ならびにその彫刻の理想的な美において卓越していたということに対して疑問を提出した一人である」というふうに、本文においてベルニーニ批判の筆致をかなり抑制してはいる。とはいえ、「近代においては衣の上に衣を、しかも往々重たい衣服を重ねる。それは古代人のそれのように、柔らかく流れるような褶襞を垂らすことがない」と書いた彼が、ベルニーニの《聖テレサの法悦》や《福女ルドヴィカ・アルベルトーニ》におけるようなまさにバロック的としか言うほかはないあの仰々しい衣紋表現に対して激しい嫌悪感を抱いたであろうことは容易に推測される。「美しい人体」をも「高雅な輪郭」をも指示することがない衣紋表現、なにものにも送り返すことのない襞は、ヴィンケルマン＝ヘルダー流の「古典的」ないし「新古典主義的」芸術観からは認められるものではなく、それ自体として否定されねばならないのだ。

ジル・ドゥルーズは、そのタイトルも『襞――ライプニッツとバロック』（一九八八年）なる著作において、まさにこの襞こそがバロックの特権的形象であることを主張した。ライプニッツ哲学とバロック芸術とを等しく襞の形象で語り尽くそうとするドゥルーズの筆致は魅力的である。

しかし襞というなら、それ自体はもとより古代ギリシアの発明であることを忘れてはなるまい。そしてルネサンス期にいたって、ほかならぬレオナルド・ダ・ヴィンチあたりから、着衣の襞ないし皺は、人物表現におけるきわめて重要な要素となった。『絵画論』のなかでレオナルドは、「人物に着せる衣類はそれを着た肢体にまつわる適した皺をもたねばならぬ」と明言している。実際、彼には皺＝襞の数多くの習作がある。とはいえ、彼はまた同時に、「さまざまな皺からなる多種多様なかたまりにすっかりうちこむあまり一人の人物画全体を皺で埋めてしまう」ことを厳しく戒めている。しかしレオナルドの戒めにもかかわらず、十七世紀バロック期に襞は、ベルニーニの彫刻に典型的に見られるように自己目的的なまでに増殖するにいたったのだ。襞は、いかなる意味においても、もはや「濡れ衣」ではなくなったのである。

fig.12
ベルニーニ《ヴェールを剥がれる真理》（1645–52）

ところで、ベルニーニに《ヴェールを剥がれる真理》（一六四五―五二年）[fig.12]と呼ばれる作品がある。ローマのボルゲーゼ美術館に収められている。右手にひまわりのような太陽を持ち、左足を地球儀にかけた裸体女性の姿は、明らかにチェーザレ・リーパの『イコノロジア』（一六〇二年再版）における「真理」の寓意的図像表現の説明にもとづいている。太陽は、あらゆる光の源であるがゆえに真理の象徴であり、地球儀に足をかけているのは、真理が地球上のなにものにも優るからである。しかし、この作品に不思議な印象を与えているのは、そうしたありきたりの標章（アトリビュート）ではない。ことは、わずかに股間にはさまれた部分を残して剥がれたヴェールが立ち上がったように際立った存在感を示し、そしてその上向いた顔が異様に恍惚とした表情を浮かべていることに関係する。ヴェールは、取り払われるべきものとして、真理＝女性には文字どおり付帯的なものにすぎないはずなのだが、ここでは女性の肉体と同等の存在性を付与されているように見える。この巨大な布の襞と彼女の恍惚とした表情とをどのように関係づけたらいいのか。

この表情は、あの《聖テレサの法悦》や《福女ルドヴィカ・アルベルトーニ》の「法悦」を想起させずにはおかない。言うまでもなく、「法悦」も「恍惚」も、同じ「エクスタシー」（イタリア語で「エスタシ」）という語の訳し分けにすぎない。

ドゥルーズの概念を援用しよう。ドゥルーズは、襞を二種に区別した。すなわち、非有機的な物質がつねに外側あるいは周囲から規定されるところの外生的襞と、有機体が固有の諸部分を折り目づけまた展げるその能力によって規定されるところの内生的襞とにである。つまり、襞は、有機的と非有機的とを、あるいは内と外とを問わず、際限なく生成するのだ。

こうした考え方は、直接にベルニーニに即して述べられているわけではないが、彼の作品を見る場合に決定的な意味を持つように思われる。テレサやルドヴィカの肉体を覆う外部の襞（外生的襞）は、肉体内部の襞（内生的襞）に呼応しているのではないか——そういうことを考えさせるのだ。外部の襞は内部の襞の反復なのだと言ってもいい。ここには、したがって、内部と外部とのア・プリオリな二元論は存在しないと言うこともできる。肉体内部の襞と着衣の襞は、同じものであり、あるいは同じものから同じものへの転移である。これは、まさしくカトリシズムにおける聖餐の化体あるいは実体変化を彷彿させないではいない。パンと葡萄酒が、外見の変化なしに、そのままキリストの肉と血と化すのと類比的な現象が、ここにはある。「法悦」あるいは「恍惚」とは、そういうことではあるまいか。

《真理》像もまた「恍惚」の表情を浮かべる。襞は、それ自体が一個の有機体であるかのように立ち上がる。とはいえ、ここであらわになった肉体は、直接に内生的襞を見せつけるわけではない。

この肉体は、柔らかな肉のイリュージョン、光り輝く皮膚のイリュージョンを見せる。内生的襞は背後に立ち上がったヴェールに隠喩化し、その化体のありようは肉体の表面の輝きに顕現すると言ってもいいほどである。

バロックは、たしかにドゥルーズも強調するように、着衣の襞に特権的性格を与えた。それはまた、バロック特有の官能性、エロティシズムに関係すると見ることができよう。しかしバロックは同時に、肉体そのものをいわば生きた衣服＝ヴェールとみなす感性を具現化したとも言えるように思う。着衣のエロティシズムは、肉の着衣にまで及ぶのだ。だからこそ、そこでは着衣と裸体とが、襞と皮膚とが、それぞれの自立性を確保したまま対等の関係で並ぶのである。

ひとり《真理》像のみならず、ベルニーニの彫刻群の特徴をあえて一言で要約するなら、「表層の快楽」ということになるだろう。ただし、この「表層」は、もはや「深層」を対立概念として持たぬ、そのような「表層」である。

まさに光の差し込む「廃墟」空間の左上にベルニーニの《福女ルドヴィカ・アルベルトーニ》を据えることで、クレリチは《ローマの眠り》という作品の図像学的性格をあらかじめ決定的なものにしたと言うべきである。ここに『見ることの狂気』におけるビュシ＝グリュックスマンの言葉を援用することもできよう。彼女はこう書いている。「身体なきバロック、身体の狂気なきバロックはない。さらにはキリスト教的身体、供犠的—享楽的身体なき「キリスト教的身体」以外のなにものでもあるまい。ベルニーニの彫像は、まさしく「身体の狂気」を体現する「キリスト教的身体」以外のなにものでもあるまい。

ドミニック・フェルナンデスの論点

ところで、ドミニック・フェルナンデスの著書『天使の饗宴』(一九八四年)は、ヨーロッパのバロック諸都市の探訪記というかたちをとった興味深いバロック論だが、そこで著者はローマ・バロックの案内のためにクレリチのくだんの作品をいわば狂言回しのように用いている。ドールスのいうバロクス・ロマヌスとバロクス・トリデンティヌスとを、現代的視点から二重写しのように浮かび上がらせようという本書の目論見も、フェルナンデスの書物に示唆されるところが大きいということを言っておかなければならない。

フェルナンデスの論点は、しかしオペラとバロック芸術とが同時に出現したということにある。彼によれば、ベルニーニの彫像は、聖女を表現するという口実でじつは「ベル・カント」のヒロインを描いているのだ(!)。苦悩と恍惚、そして官能の極みとしての虚脱というバロックのテーマは、オペラのそれと同じであるというのである。

史上最初のオペラとみなされるヤコポ・ペーリの『ダフネ』が上演されたのが一五九七年、そしてこのジャンルを決定的に定着させたといっていいクラウディオ・モンテヴェルディの『オルフェオ』の初演が一六〇七年であることも、フェルナンデスの論拠となっている。南イタリアを南西の先端とし、プラハを北東の先端とする三日月形が、ローマ、ジェノヴァ、トリノ、東スイス、ヴェネツィア、南ドイツ、オーストリア、ボヘミアを含む、バロック文明の開花した地域をそっくりあらわすものであることを最初に指摘したのは、ピエール・シャルパントラ(『バロック』一九六四年)だが、フェルナンデスはこの「バロックの三日月形」がオペラの凱歌を挙げた土地と正確に重なり合うことを確認しながら、さらに個々の作品にオペラ的なものを見てとろうとする。実際、もともと量塊性を本質とするはずの彫刻が、バロックにおいては表層化して絵画のような存在になったとすれば、音楽が見世物に変じたのがオペラであるとも言えるわけで、それらはともに視覚化という点で軌を一にすると考えられるのだ。十七世紀初期のオペラが、《stile rappresentativo》と呼ばれたように、まさにrepresentation=上演・演出・表象こそが、この時代を端的に示すキーワードにほかならない。

天使たち

さて次に、ルドヴィカ・アルベルトーニの足元を見てみよう。2番の番号を振ったところである。ちょっとわかりづらいが、小さな天使ケルビムがひとりわずかに顔を覗かせているのが見てとれるだろうか。これは、シチリア・パレルモで活躍したジャコモ・セルポッタ(一六五六―一七三二)のスタッコ作品から採ってこられたとする説がある。実際、セルポッタには数々の天使像、とりわけ可愛らしい幼児姿のケルビム像があるが、しかしそれらのうちのいずれがクレリチの具体的モデルになっているのかはっきりしない。可憐なケルビム像といえばセルポッタだ、ということなのかもしれない。

五、六世紀頃の偽ディオニュシオス・ホ・アレオパギテースの説として伝承される天使論によれば、天使には九つの位階がある。ケルビムには、第一位のセラフィムに次いで第二位の位階が与えられている。セラフィムを熾天使、ケルビムを智天使と言う。神の姿を見ることができるところから、智（ソフィア）の文字が用いられる。ルネサンス以降、有翼の愛らしい幼児の姿（イタリア語でプットーと言う）で表されるようになった。クレリチのケルビムにも翼が確認できる。

しかし、このケルビムをとりわけローマならぬパレルモのセルポッタの作品に結びつける必要はないと言ってもいいかもかもしれない。なぜなら、そもそもサン・フランチェスコ・ア・リーパ教会のベルニーニの《福女ルドヴィカ・アルベルトーニ》像[fig.13]は、ケルビムたちに取り囲まれているからだ。首から翼を生やした頭部像が左右に五体づつ、全部で十体のケルビムが、神の愛（amor dei）に悶えるルドヴィカの魂を天国へ

fig.13
ベルニーニ
《福女ルドヴィカ・アルベルトーニ》を見守る天使たち ★

ているのかもしれない。

導こうとするかのように上方から見守っているのだ。クレリチは、そのひとりをあえてルドヴィカの足元に覗かせるというかたちに配置して、この芸術家の作品と天使との抜きがたい関係を暗示しているのかもしれない。

実際、ベルニーニと天使との切っても切れない関係は、すでに《聖テレサの法悦》によって決定的に刻印されていた。おびただしい襞に覆われて、これも神の愛に悶える十六世紀スペイン・カルメル会のテレサの、その衣裳を左手でつまみ、右手に持った矢を彼女に差し込もうとしているのは、熾天使であろう。熾天使の「熾」とは、まさに神の愛に燃えるという意味である。この矢が、『古事記』（神武記）に見える「丹塗りの矢」と同一のものであるとの指摘もある（金関丈夫「神を待つ女」一九六八年、『新編　木馬と石牛』大林太良編、岩波文庫、一九九六年、所収）。

ちなみに、アメリカのダン・ブラウンは、その小説『天使と悪魔』（二〇〇〇年）において、現代のローマを舞台としながら、ほかならぬベルニーニの作品をモチーフに、秘密結社イルミナティ（「啓示を受けた者」の意）の恐るべき陰謀を「宗教図像解釈学」専門のロバート・ラングドン教授が解明するという物語を創り上げた。ロン・ハワード監督によって二〇〇九年に映画化もされたが、細部がやや変更されている。驚くべきは、ベルニーニ自身がこの秘密結社に関わっていたという前提で小説が書かれていることで、彼の作品が物語に数多く組みこまれ、地水火風の四大の意味論がそこで一役演じるだけでなく、特にイルミナティの陰謀を暴き出すように次々と方向を指示してくれるのである。方向を指示するというのは、特にベルニーニによる天使像のその指先の示す方向が意味を持っているということだ。《聖テレサの法悦》はもとより、いわゆる「双子教会」のあるポポロ広場の端に位置するサンタ・マリア・デル・ポポロ教会――ここはカラヴァッジョの《聖パウロの改宗》（一六〇一年）と《聖ペトロの磔刑》（一六〇一年）の二点があることでとりわけ有名だが――そのキージ礼拝堂の壁龕に見えるベルニーニの《ハバククと天使》（一六六五―七一年）[fig.14]、あるいはカステル・サンタンジェロ（聖天使城）の天使像がその都度召喚されるのだ。

ハドリアヌス帝がみずからの霊廟として建設を開始し、その後要塞として用いられ、現在では聖天使城と呼ばれるこの建物に関してはまたのちに触れられることになるだろう。よく考えられた物語だが、バルベリーニ広場にホテル・ベルニーニというのが本当にあるのには驚いた。アンデルセンの『即興詩人』（一八三五年）の冒頭にも、「羅馬(ロオマ)に往きしことある人はピアツツア、バルベリイニを知りたるべし」（森鷗外訳、一八九二年）、あるいは「ローマに行かれたことのある人は、美しい噴水のあるバルベリーニ広場をごぞんじでしょう」（大畑末吉訳）とあるとおり、ベルニーニ設計によるトリトーネの噴水があるので有名だが、いつも広場を通りながら半人半魚の海神が法螺貝を高く

fig.14
ベルニーニ《ハバククと天使》（1665–71）★

噴き上げている姿やその下に刻まれたバルベリーニ家の紋章たる三匹の蜂などを確認しながら、くだんのホテルの存在にはこの小説を読むまで迂闊にも私はまったく気づかなかったのである。

いずれにせよ、少なくともクレリチは、あえてルドヴィカ・アルベルトーニの足元に可愛らしい天使を配することで、象徴的にベルニーニの天使たちへの敬意を表したわけである。

ヘレニズム的意匠

《福女ルドヴィカ・アルベルトーニ》の横たわる台の真下、3の番号を振った、やや左側に横たわる像について見てみよう。紀元前四世紀の《眠るエロス》(Eros dormiente) [fig.15] である。エロスはアフロディテの息子の名で、ラテン語ではウェヌスの息子クピドということになる。実際、《Cupido dormiente》と称される十六世紀に作られた同ヴァージョンの像がマントヴァの美術館にある。この《Eros dormiente》は、カピトリーニ美術館に収められている。

エロスは、ルドヴィカとは逆に頭を右にして、こちらに身体を向けて眠っている。《ローマの眠り》という表現に文字

fig.15
《眠るエロス》(B.C.4C)

どおりふさわしい像をまずここに持ってきたわけだ。「眠り」と「死」と、そして「法悦（あるいは恍惚）」によって、すべては構成されるはずだ。法悦あるいは恍惚は、ギリシア語のエクスターシスの訳であり、そしてextasisとはもともと魂が外に出てしまうこと、脱魂の意だから、束の間の「眠り」あるいは「死」であると言ってもいい。「眠り」あるいは「死」の圏域のなかで、それを演じる個々の身体の姿勢に注意したい。《眠るエロス》は、ルドヴィカと逆向きに横たわりながら、ルドヴィカの足元のケルビムの可愛らしい顔に呼応するように、いたいけな姿と顔をこちらに向けている。正と反の組み合わせである。

そしてもう一つの組み合わせは、ヘレニズムとヘブライズムとの、ギリシア・ローマ文化とキリスト教との組み合わせである。ベルニーニの《福女ルドヴィカ・アルベルトーニ》が対抗宗教改革の、つまりローマ・カトリックの典型的作品の一つであるとすれば、《眠るエロス》はヘレニズム期の典型的作品の一つである。ローマという都市は、古代ローマ帝国の遺産であると同時に、特に対抗宗教改革によって作り直されたバロック都市でもあるのだ。クレリチの絵は、ローマのそうした二重性あるいは重層性を、「眠り」あるいは「死」の彫刻群によって表象しようとする。

ヘレニズムとは、ギリシア人の祖ヘレーンに由来する言葉で、通称アレクサンドロス大王、つまりアレクサンドロス三世の東方遠征によって生じた、ギリシアと古代オリエントの文化が融合した「ギリシア風」の文化を漠然と指す。厳密な時代区分としては、アレクサンドロス三世の治世（在位前三三六―前三二三年）からプトレマイオス朝エジプト王国の滅亡（前三〇年）までの約三百年間を指すこともあるが、要するに、一神教のユダヤ＝キリスト教とともにヨーロッパの文明の基調を構成してきた広義の古典古代の文化、多神教のギリシア・ローマ文化のことだと考えていい。

fig.16《瀕死のペルシア人の頭部》

クレリチの絵《ローマの眠り》の左側を飾る断片群は、してみればすべてヘレニズム的意匠であることがわかる。4の番号を振った、《眠るエロス》の下に転がる巨大な顔は、《瀕死のペルシア人の頭部》[fig.16]と称されるもので、一八六六年にローマのドームス・ティベリアーナにおいて発掘された、紀元前三世紀から二世紀のものと推測される大理石の断片である。紀元前四九九年から四四九年まで五十年間に及ぶアケメネス朝ペルシア帝国の三度にわたるギリシア遠征を、ギリシア側からペルシア戦争と呼ぶが、ギリシア人、というよりローマで発掘されたからにはむしろローマ人というべきかもしれないが、彼らはこの戦いを偲んでこんなものを作っていたわけだ。ペルシア人に対するある種の敬意が感じられなくはない作品である。

ペルシア戦争の委細は、同時代人ヘロドトスの『歴史』（前五世紀）にあますところなく、おそらくは大いに想像をまじえて、語り尽くされている。ダレイオス一世のペルシアに対してギリシア側はアテナイを中心にデロス同盟を組んで対抗したが、それがペルシア対ギリシアというような単純な図式ではなかったことが、ヘロドトスを読むとよくわかる。ペルシア戦争なるものは、政治と文化における両地域の巨大な混合の実験でもあったのだ。

《瀕死のペルシア人の頭部》の下に見える5番の円盤は、知る人ぞ知る《真実の口》[fig.17]である。ローマのサンタ・マリア・イン・コスメディン教会の壁に取りつけられている。この教会は、このあたりに多く住んでいたギリシア人のために六世紀に建てられ、八世紀に拡張されたロマネスク様式の建物だが、「コスメディン」という語はギリシア語で「装飾」を意味し、八世紀の拡張時からこの呼び名が使われるようになったらしい。一・七五メートルの円盤は、もともとは井戸か下水溝の蓋、あるいは集水器の覆いだったと推測されているが、河の神オケアノスの顔をかたどっている。

その口がいつしか「真実の口」として観光の目玉になった。この口に手を入れてそのまま抜き出すことができれば、その人は嘘のない正しい人だというわけである。ウィリアム・ワイラー監督の映画

fig.17《真実の口》

『ローマの休日』(一九五三年) において、グレゴリー・ペック演じる新聞記者が手を入れて抜けなくなる振りをしてオードリー・ヘップバーン演じる某国の王女を驚かせるシーンで一躍有名になった。私も何度か訪れているが、あるときは日本人観光客がこの口に手を入れようと一列に並んでいるのを目にして早々に退散したが、別のときもおおむね世界中の観光客が群れをなしていて、とても自分の手を入れるための忍耐力は保時しえないと諦めていまにいたる次第である。

《真実の口》に重なるように巨大な顔を画面右側に向けている6番の像は、《エリーニ・ルドヴィジの頭部》[fig.18]である。ローマの国立博物館に収められているが、紀元前四世紀のヘレニズム期の失われたブロンズ像の二世紀におけるコピーである。ルドヴィジはこの像の元の所有者に関わるローマの地区名で、「エリーニ」というイタリア語は、ギリシア語の「エリーニュスたち」から来ている。復讐あるいは罪の追求の女神のことで、複数形なのは、アレクトー、テイシポネー、メガイラの三人姉妹だからである。クロノスによってウラノスの男根が断ち切られたとき、その血が大地に滴って、そこから生まれたとされる。罪人を追う恐ろしい女神でありながら、一方でエウメニデスとも呼ばれ、慈しみの女神、善意の女神ともされるから、いささかややこしい。アイスキュ

fig.18《エリーニ・ルドヴィジの頭部》

ロスのオレステース三部作の最後を飾る『エウメニデス』(前五世紀)は、母殺しのオレステースをめぐる女神たちのこの両義性を明らかにしてくれるだろう。髪を波打たせて毅然とした横顔を見せるエリーニュスは、眠っているのか、それとも死んでいるのか。

ところで、じつは私はこのアイスキュロスの作品に特殊なかたちで関わったことがある。イスラエル人の女性演出家でテルアビブ大学で教鞭を執るルティ・カネルが、両国のシアターX(カイ)でこれを日本人俳優を使って演出・上演しようとする際、劇場プロデューサーの上田美佐子さんを通して英語の脚本の日本語訳を頼まれたのである。イスラエル人、つまりユダヤ人によるギリシア悲劇上演というのも珍しい気がするが、しかもそれを日本語で上演しようというのだから、これはかなり画期的な企てと言わなければならないだろう。私の責任も大きい。ともかくも翻訳は成り、これは「21世紀ギリシア芝居 エウメニデス」のタイトルで二〇〇七年九月十四日から二十三日まで上演された。それを記念してカタログのようなものが作られたが、初日まであと三週間と迫ったときに行なわれた、上田さんも含む関係者による座談会(カタログには「議論バトル」の表現が用いられている)の記録がそこに収められている。その冒頭、私とルティ・カネルとのやりとりの部分だけをここに再録させていただこうと思う。

谷川　ギリシア悲劇ではオレステースのテーマは三大悲劇作家がみな採り上げていますがなぜ

アイスキュロスを？

ルティ　アイスキュロスをというよりも、この戯曲『エウメニデス』を選びました。エリーニュスのキャラクターに惹かれたのです。

谷川　アイスキュロスの解釈に関してですが、演出にあたってニーチェの『悲劇の誕生』を意識されましたか？ニーチェはアイスキュロスを高く評価しています。

ルティ　ニーチェの考え方で私にとって一番大事なのは、アポロン的とディオニュソス的という対立概念です。ニーチェはこの二者の衝突が社会のなかに存在していることに光を当てました。

谷川　ニーチェは「コロスはディオニュソス的なもの」と言っていますが、今回コロス、つまり音楽とダンスがかなり重要なパートをしめていますよね。

ルティ　はい。音楽とダンスはディオニュソス的で、造形的な美はアポロン的ととらえられる、そのことは考えています。

谷川　そのふたつは有名な対立概念だけれど、アイスキュロスにおいてはそれが一番すばらしい形でその二つが対立ではなく調和することによって優れた劇作になるという。

ルティ　はい。

谷川　ニーチェ的な対立があると同時に、このドラマにはほかにもたくさんの対立がありますよね。男と女、古い神々と新しい神々、美と醜……。

ルティ　もう一つ大事なのは秩序と混沌。我々の社会は秩序を必要としています。同時に混沌とか、秩序のないところから生まれるエネルギーも必要としているのです。秩序が自分たちの内側からくるものをなくしてしまうことがあります。社会ができあがってくると自然がコントロールされているようなことになってしまう。

谷川　「秩序とカオス」は「内部と外部」や「光と闇」にも置き換えられますね。この作品に取り組んでいく過程でこの部分が一番のポイントですね。メアリー・ダグラスの『汚穢と禁忌』とか、ジュリア・クリステヴァの『恐怖の力』のなかの「アブジェクション」（おぞましさ）という理論がありますが、常に問題になるのは、対立が対立としてドラマが進行していくこと、ドラマはコンフリクトのアクションだから。この作品の最後に、おぞましいエリーニュスたちが突然のようにエウメニデスとなって、秩序に回収されていく、ここが観ている側を驚かせることになりますね、結局秩序のなかに入ってしまいますよね。

ルティ　そのときエリーニュスは生き生きとした自然のエネルギーをもったまま入ってくるので、それを社会でいい方向にすることができる。先ず、それを気づくこと。彼らを必要としていることに。

谷川　エリーニュスがエウメニデスに変わる過程で、外部が内部に入っていくということですね。奇しくもニーチェの言に、アイスキュロスの作品には、「和解へ、形而上学的一体化へと矯正する力がある」というのがあります。アイスキュロスの特長ともいえるのではないでしょうか。悲劇といいながらいわばハッピーエンドになる。最後に歌って踊ってすべてが渾然一体となる。そこにこの裁判劇の解決とアイスキュロスの持っている作劇の特徴が出ていると思います。

エリーニュスに関して私はこんな発言をしていたわけである。議論の背景には、もとよりユダヤ対イスラムという現実があった。内部と外部、秩序と混沌といった二元論、そして「和解」といった概念は、そのことに関係しないではいなかったのである。いずれにせよ、クレリチは《ローマの眠り》の左縁辺のヘレニズム的意匠の断片群をエリーニュス（＝エウメニデス）の巨大な顔で最後に締めくくったと言っていい。

眠りか死か判然としないままにその顔を向けた広大な空間に戻ろう。ベルニーニの彫像の横たわる画面左上から画面右下に斜めに光が射しこんでこの空間全体を可視的なものにしているが、この光の軸上、画面の対角線上と言ってもいいが、そこにとりわけ重要な彫像群が横たわっていると見ることができよう。

《福女ルドヴィカ・アルベルトーニ》から対角線上斜め右下の台に、布で覆われた人体が横たわっているように見える。7の番号を振ったものである。判然としないが、どうやらこれはイエス・キリストの遺体とおぼしい。ナポリのサン・セヴェーロ礼拝堂に収められている、ジュゼッペ・サンマルティーノの《ヴェールに包まれたキリスト》（Cristo velato）［fig.19］を真横から眺めたものだろうか。一七五三年制作の大理石像である。とすれば、クレリチは、ローマならぬナポリのキリスト像をここに召喚したわけである。イエス・キリストの死をこれほど端的に、印象的に表象した彫像は、確かにほかにないかもしれない。

この大理石像の特異性、その比類ない意味について考察する前に、イエスが活動し処刑された場所エルサレムにいったん視点を移すことにしよう。ヘブライズムの原点たるエルサレムを見ずして議論を進めることはできない。かの地へ、しばしバロック的遁走を試みることにしよう。遁走はいささか長くなるかもしれないが、その後、再びこの《ヴェールに包まれたキリスト》へと戻ってくるはずである。

fig.19 ジュゼッペ・サンマルティーノ《ヴェールに包まれたキリスト》（1753）

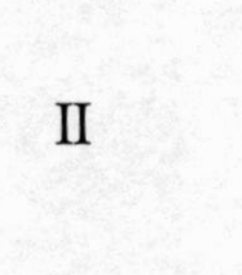

II

エルサレム行

二〇一二年夏、私は初めてエルサレムを訪れた。パリからイスラエルまでの空路だが、当時シリアが毒ガス攻撃をするとの噂が広まっていて、昼頃にパリ空港に着いたものの機関銃を持った警備兵たちの前での度重なる荷物検査のため、特にどうやらパソコンを携えていたらしい他の乗客の取り調べなどのために異常に時間をとられ、結局出発は夜中の十一時頃になった。テルアビブの空港に到着したのは翌日早朝である。

私はエルサレムをどうしても一度この目で見たいと思っていた。それは、直接には一九九四年に上梓した拙著『鏡と皮膚』の第五章「ヴェロニカの布」に関係する。新約聖書の四福音書にはいっさい記述がないが、紀元四世紀から五世紀頃に成立したと推測される外典「ニコデモの福音書」、別名「ピラト行伝」のはなはだ曖昧な記述などを根拠にいつしか形成されるにいたった伝説によれば、イエス・キリストが荊の冠をかぶせられ、十字架を背負わされてゴルゴタの丘に向かう途上、ひとりの女がイエスの前に現れ出て、汗と血で汚れたその顔を一枚の白布で拭った。この女の名がヴェロニカと呼ばれるわけだが、その布にはイエスの顔がそっくりそのままうつしとられていたという。この「ヴェロニカの布」がいわゆる「聖顔布」である。

聖画像(イコン)の起源を暗示するかのようなこの問題について、ここであらためて基本的な論点を押さえておこう。

聖画像

神は目に見えるかたちで描写されうるか、超越的存在はそもそも可視化されうるのか、宗教と美術というテーマ、「宗教美術」という表現の根底には、ひとえにこの問いが潜む。キリスト教における聖画像(イコン)をめぐる論争が、なによりもこの根本的問いに関係することは言うまでもない。

新約聖書「コリント後書」(第四章四)に、パウロの「神の像(かたち)なるキリスト」という言葉がある。「像(かたち)」と訳された語は、ギリシア語のエイコンで、この語がのちに美術史上「聖画像(イコン)」と称されるもとになったわけである。キリスト教においていささか特殊な事情は、神の可視化そのものというよりは、「神の像(エイコン)」たるキリストの可視的表現、その受容可能性がもっぱら問題となってきたことで、その意味で聖画像(イコン)は、いわば像の像、イコンのイコンであることになろう。

ユダヤ教を批判超克するかたちで登場したキリスト教は、ギリシア・ローマ文化圏、すなわちヘレニズム的世界に拡がるにつれて、神々や半神や皇帝が彫像と絵画のかたちで表象され崇拝される、ギリシア、ローマ、さらにはエジプト、近東の多神教的伝統を引き継ぎつつ、キリストの像化を試みるようになり、三世紀頃から太陽神ヘリオスなど異教の神々の属性を持ったキリスト像が現れ始めた。

そうした像化への反対は、当初より存在した。すでに旧約「出エジプト記」(第二十章四)のモーセの「十戒」の第二戒にこうある。「汝、おのれのためにいかなる像をも彫むべからず。上は天にあるもの、下は地にあるもの、また地の下の水のなかにあるもののいかなる似姿をもつくるべからず。これを拝むべからず。これに仕ふべからず」。聖像と偶像の区別はない。いっさいの像の制作を禁じる根拠となる原テクストである。キリストの可視的表現は、いかなる意味でも肯定・礼拝されえない。

ちなみに、時代はずっと下るが、ドイツの哲学者カントは、近代美学を拓いたその第三批判書、『判断力批判』(一七九〇年)のなかで、第二戒の言葉を引きながら、この掟にもまして「崇高な章句」はあるまいと述べている。「この掟一つだけでも、すぐれた道徳的教養をそなえていた時代のユダヤ民族が、自分を他の諸民族と比較した場合に彼らの宗教に対して感じていた情熱の由来を説明することができる。これに類する掟はイスラム教にもあり、これまたこの宗教の鼓吹する自尊心のよって来るところを説明するに十分である」。プロテスタンティズムならではの原理主義のうかがわれる発言と言うべきだろう。

イコン否定論は、東ローマ皇帝レオ三世が七二六年にこれを支持し、これに対してイコン肯定論の牙城たるコンスタンティノポリスの総主教が辞任するという事態になり、以後、八四三年まで続くイコノクラスム(聖画像破壊)論争へと発展するが、イコン肯定論の勝利によって論争は一応の決着を見ることになった。

しかしマルティン・ルターの「九十五箇条の論題」（一五一七年）に端を発する宗教改革運動のうちに、このイコノクラスムの影をなにほどか見てとったとしても間違いではないだろう。カントの発言はその端的な一例であるが、すでにイタリア美術嫌いの北方ヨーロッパ人、エラスムスは、その『痴愚神礼賛』（一五一一年）のなかで、来たるべき宗教改革の精神をあますところなく体現している。そうした批判の根拠になったのは、「ヨハネ伝」（第四章二十四）の「神は霊なれば、拝する者も霊と真（まこと）とをもって拝すべきなり」という言葉である。宗教改革を支えた人物たちのあいだにそれぞれの主張の点では多少の差異があるとはいえ、総じてイコノクラスム的衝動においては共通していたと言っていいだろう。

ローマ教皇パウルス三世によって一五四二年に召集され、以後一五六四年まで断続的に開かれたトリエント公会議は、北方ヨーロッパの宗教改革運動に対するローマ・カトリック側の対抗宗教改革である。イエズス会による布教を通してわが国にも大いに関係するが、いま注目すべきは、特に一五六三年に開かれた第二十五回公会議で公布された教令である。プロテスタント側の聖画像（イコン）否定に対して、教会の肯定論の立場をはっきりと打ち出しているからである。中世のイコノクラスムの再来ともいうべき様相を多少とも帯びた宗教改革に対して、ローマ・カトリックはバロック美術、まさしく「バロクス・トリデンティヌス」への道を拓くことになる図像愛好（イコノフィリア）を確認したわけである。

さて、聖画像（イコン）そのものの起源を正当化するとも言うべき聖顔布の成立の場面を描いた絵は、十四、五世紀以降数多くあるが、特筆すべきはその彫刻すらも存在することであろう。ほかならぬローマのサン・ピエトロ大聖堂の内陣に立つイタリア・バロック期の彫刻家フランチェスコ・モーキ（一五八〇―一六五四）の《聖ヴェロニカ》（一六三二年）[fig.20]がそれである。

fig.20 フランチェスコ・モーキ《聖ヴェロニカ》(1632)

ベルニーニによる、それ自体彫刻とも建築ともつかぬ四本の異様にねじれた巨大なブロンズの柱が大天蓋（バルダッキーノ）[fig.21]を支えているが、このような形態は、もとエルサレムの神殿に立っていたという柱に因むらしく、一五九三年にメスで生まれナポリで活躍したモンス・デジデリオの《聖堂のダヴィデ》[fig.22]という絵のなかにもまぎれもなく同様の柱が描かれている（谷川渥解説『モンス・デジデリオ画集』トレヴィル、二〇〇九年、参照）。モンス・デジデリオとベルニーニ、マニエリスムとバロック、思いがけぬ関係だが、いずれにせよくだんのバルダッキーノを取り囲むように四つの巨大な支柱があり、左奥の支柱の下にくだんの像が据えられているのである。一枚の布を彫刻化すること自体稀有な試みだが、その布を持って立つヴェロニカのダイナミックな姿はまさにドラマの一シーンを構成するかのようで、ま

fig.21 ベルニーニ《バルダッキーノ》（大天蓋）

fig.22 モンス・デジデリオ《聖堂のダヴィデ》

ぎれもなくバロック彫刻ならではのものである。そしてこの支柱のなかには当の聖顔布が保管されていると伝えられ、定期的に公開されもするようだが、残念ながら私はまだそれを直接目にする機会を得ていない。

ちなみにモンテーニュの歿後一八二年、一七七四年にパリで刊行されたその『旅日記』によれば、一五八一年の復活祭にサン・ピエトロを訪れた彼は、この聖顔布の公開に立ち会って、そのときの様子をこんなふうに記述している。

この頃聖ヴェロニカの手巾が展示せられたが、大きな鏡のような四角な縁にかこまれた、陰気な暗い色をした、見るに忍びぬお顔であった。それは幅五六歩ばかりの高い壇の上からいとも厳かに示されるのである。それを持って出る僧は手に緋の手袋をはめており、なおその上二三人の僧が手伝っていた。およそこれ位大きな畏敬をもって仰がれるものはない。人々は地上にひれ伏した。大部分の者は眼に涙をたたえ、そのお痛わしさに哀憐の叫びをあげた。Spiritata（憑かれし女）だと言われる一人の女は、この御顔を拝するや狂い出し、泣き喚き、腕を伸べ、身をよじった。件の僧たちは壇の上を歩きながら、御顔を群衆の方にむけて、或は右に或は左にふりむけた。その度毎に、そのお顔をむけられた人たちは号泣した。［中略］その日はこれらの展示が幾度もなされたが、集まる人々その数を知らず、教会の外の遠くの方にまであふれて、件の壇に目のとどく限りのところは夥しき善男善女の群に充満した（関根英雄訳に基づく）。

これは、その真偽のほどのわからないまま、「人の手でつくられたのではない」という意味のギリシア語「アケイロポイエートス」の名でも呼ばれるが、事態をいささか複雑にしているのは、いわゆる「アケイロポイエートス」が、このヴェロニカの聖顔布に限られず、ほかにもあるとされることだ。

その一つがエデッサのマンディリオンである。伝承によれば、紀元五三〇年、シリアのエデッサの城塞でイエスの本物の肖像と思われるものが発見された。その昔、病めるアブガル王は自分の病の治療の為に来訪を請う手紙を使いに持たせてエルサレムのイエスのもとにやった。イエスはエデッサまで出かけるのを断ったが、みずからその顔を亜麻布に押しつけてできた自分の肖像を使いの者に渡したか、あるいは弟子に届けさせた。光り輝くこの「アケイロポイエートス」によって、アブガル王の病はたちまち癒えたという。

ちなみにマンディリオンとは、タオル、ナプキンを意味するラテン語のmantele、あるいはヴェール、ハンカチを意味するアラビア語のmandilに由来する言葉であるらしい。いずれにせよ、このマンディリオンは、霊験あらたかな護符のような役割を果たしながら、エドワード・ギボンが一七七六年から十年以上の歳月をかけて刊行した『ローマ帝国衰亡史』によれば、聖画像（イコン）として複数化していくことになったようだ。しかし少なくともエデッサのマンディリオンが九四四年八月十六日にコンスタンティノポリスの聖ソフィア大聖堂に移されたという事実だけは、記録上明らかである。

もうひとつの「アケイロポイエートス」、それは言うまでもなく磔刑後のイエスの遺体を包んだとされる亜麻布にその全身像がうつしとられたとみなされているあの「聖骸布」である。四福音書、「マタイ伝」「マルコ伝」「ルカ伝」そして「ヨハネ伝」によれば、アリマタヤのヨセフが十字架から降ろしたイエスの身体を香料とともに布で包んで墓のなかに収めた。そこにイエスの身体が写真のネガのように、しかも互いに頭部を接触させた逆向きの二重の映像として刻印されていたという記述は、聖書のどこにも見当たらない。「ヨハネ伝」によれば、イエスの遺体が消え、墓のなかに布が残されていたというだけである。現在、トリノの洗礼者ヨハネ大聖堂にある円形の王室礼拝堂に納められている幅一・一三メートル、長さ四・四三メートルの亜麻布がその聖骸布であるというわけだ。

聖顔布、マンディリオン、聖骸布、これら三者の関係は、つまるところはっきりしない。たとえばイアン・ウィルソン『トリノの聖骸布』（一九七八年）によれば、マンディリオンと聖骸布は同一のものだということになるが、いずれにせよ聖ソフィア大聖堂に納められたマンディリオンは次第に話題にのぼらなくなり、聖骸布が第四回十字軍のコンスタンティノポリス襲撃の百五十年後、フランスのリレで十四世紀後半に突然姿を見せ、そしてシャンベリーを経由して、一五七八年十月十日、トリノに移されたという。ヴェロニカの聖顔布は、一六〇六年にサン・ピエトロ大聖堂に移されたと伝えられるが、マンディリオンあるいは聖骸布との関係ははっきりしない。ギボンの示唆するように、それが複数化・拡散していった聖顔布＝聖画像（イコン）のひとつということも考えられないわけではない。

『鏡と皮膚』における私の議論の委細を繰り返すには及ぶまい。ここではちなみにダンテの『神曲』（十四世紀）「天国篇」にも、こんな一節のあることを銘記しておこう。

> われらのヴェロニカを見ようと、たとえばはろばろクロアツィアからやって来て、見たし見たしと久しきにわたり、恋い焦がれていた渇望、飽くを知らず、その開帳されている全期間を通じ、「わが主イエズ・クリスト、真（まこと）の神、では、これが、懐かしのおん姿にてあらせられたか！」と、心の中に思い続けた人、ありとしよう、私はまさにその人のようであった……。

そして日本近代文学のなかでおそらく唯一この聖顔布をモチーフとして書かれたと思われる一篇にも言及しておきたい。拙著『文豪たちの西洋美術』（二〇二〇年）でも採り上げたが、ここでもう一度触れさせていただこう。それは、石川淳の小説『焼跡のイエス』である。敗戦直後の昭和二十一年、雑誌『新潮』（十月号）に発表された。物語は、同年七月の晦日、上野のガード下の闇市に始まる。そこで「わたし」は、「ボロとデキモノとノミとおそらくシラミとのかたまり」のような、「たしかに生きている人間とはみとめられるのだから、男女老幼の別をもって呼ぶとすれば、ただ男のこどもというほかないが、それを呼ぶに適切十分なる名をたれも知らないような生きもの」に後をつけられ、東照宮の境内で襲われる。無言の格闘の末に、「わたし」は敵を組み伏せる。

> 今、ウミと泥と汗と垢とによごれゆがんでくるしげな息づかいであえいでいる敵の顔がついにわたしの眼の下にある。そのとき、わたしは一瞬にして恍惚となるまでに戦慄した。わたしがまのあたりに見たものは、少年の顔でもなく、狼の顔でもなく、ただの人間の顔でもない。それはいたましくもヴェロニックに写り出たところの、苦患（くげん）にみちたナザレのイエスの、生きた顔にほかならなかった。わたしは少年がやはりイエスであって、そしてまたクリストであったことを痛烈にさとった。

ヴェロニックとは、ヴェロニカのフランス語読みである。焼跡の闇市になぜイエスは現れたのか。

「わたし」は「わたしのために救いのメッセージをもたらして来たものにちがいない」などと考えるが、くだんの少年は「わたし」の買ったパンと財布を奪って逃げてしまうのである。

「苦難の道」

私のエルサレム行は、イエスがゴルゴタの丘で磔刑に処せられるまで十字架を背負って歩き続けたという、いわゆる「苦難の道（Via Dolorosa）」をみずから辿り、そして特にヴェロニカが現れたとされる場所をこの目で確認するのがなによりも目的だった。

現在のエルサレムは旧市街と新市街とに分かれるが、問題の地域はもとより旧市街である。城壁に囲まれた一キロ平方メートル足らずの地域[fig.23]だが、この谷の切れこみからは丘の上に高く建てられた街のように見える。が、じつのところ標高は新市街のほうが高く、新市街からは旧市街がむしろ下に横たわっているように見えるのである。

エルサレムは、もとカナン人の都市王国の所在地だったが、ダヴィデがイスラエル王国の首都に定め、ソロモンが新たに神殿と王宮を建設したと伝えられる。統一国家が分裂してからも小さなユダ王国の首都にとどまったが、第十四代ローマ帝国皇帝ハドリアヌスが紀元百三十年にこ

fig.23 エルサレム旧市街を取り囲む城壁 ★

れをローマ風の都市に改造しようとした。ギボンの『ローマ帝国衰亡史』にはこうある。「彼の治世中、帝国は平和と繁栄とを謳歌した。芸術を奨励し、法改正を行い、軍律を強化し、全属州をみずから巡幸してまわった。宏量無辺、積極性に溢れた彼の才幹は、大局的見通しにすぐれていたと同時に、民政の細目についても劣らず明るかった。が、結局彼の精神を支配していたのは好奇心と虚栄心だった」と。

その彼はみずからの氏族名アエリウスと、ユピテル神殿のあったローマのカピトリヌス（カピトリーノ）の丘とにちなんで、この地を植民市「アエリア・カピトリーナ」と命名し、さらにユダヤ人の割礼を禁止した。そのため下層民出身のみずからバル・コホバすなわち星の子と称するシモンなる者をイスラエルの王と仰ぐ大規模な反乱が発生した。ギリシア教父エウセビオス（二六三頃―三三九）の『教会史』によれば、「彼は殺人者であり強盗のような人物だったが、その名の威力を借りて、自分は苦しむ者たちを照らすために天からやって来た光である」と宣言した。ハドリアヌスがこの反乱を鎮圧したのは、ようやく百三十五年のことである。反乱終結を機に、ユダヤ地方は「属州シリア・パレスティナ」と改称され、この地からユダヤの名が消えた。以後、ユダヤ人たちは離散（ディアスポラ）を余儀なくされるにいたった。いわゆるパレスティナ問題の淵源である。

いずれにせよ、十九世紀半ばまでは、ここがエルサレムの全体で、古くから城壁に囲まれた城塞都市だった。現存する城壁は、オスマン・トルコ皇帝スレイマン一世（壮麗王）によって十六世紀に建てられたものだという。

現在、その全体が、ムスリム（イスラム教徒）地区、キリスト教徒地区、ユダヤ人地区、そしてアルメニア正教徒地区の四つに分割されている。アルメニア正教徒というのは、われわれ日本人にはなじみの薄い言葉かもしれないが、世界に先駆けてキリスト教を初めて公認し、これを国教として定めたのが、アルメニア王国であることに注意しよう。紀元三〇一年のことだ。詳細な議論に立ち入ることは避けるが、キリスト教の解釈の相違によって、カトリックや東方正教会と区別される独自の宗派である。四つの地区は互いに開かれてはいるが、旅行者が気楽に行き来するのはためらわれるような雰囲気の違いがある。いずれにせよ、旧市街は同時にユダヤ教、キリスト教、イスラム教の聖地なのである。

fig.24 ダマスクス門 ★

城壁には八つの門がある。私はそのうちの一つ、キリスト教徒地区のダマスクス門 [fig.24] から旧市街に足を踏み入れたものの、肝腎の「苦難の道」がどこなのか容易にわからない。私はそれが荒野の一本道であるかのように勝手に夢想していたのである。ところが二メートルほどの幅の道が迷路のように入り組み、しかもその両側は石の壁か、あるいはお土産屋らしき商店で埋め尽くされている。考えてみれば二千年も前の伝承である。荒野の一本道などあるはずもないのだ。綿密な下調べもせずにやって来て歩き回っていた私が、ある商店の人に「Via Dolorosa はどこですか？」

と訊くと、「ここだ」と地面を指差す。なるほど確かにわずかに上り坂になっていて、ゴルゴタの丘に導くものとも思える。

イスラム教徒地区のヘロデ門から入り直すなど、何度もの試行錯誤を繰り返して、結局、「苦難の道」の始発点はイスラム教徒地区にあるライオン門（ステパノ門）付近、終着点はキリスト教徒地区の聖墳墓教会のなかにあるイエスの墓であるという基本だけはわかった。第二代皇帝ティベリウス帝の治世（在位紀元一四―三七年）十二年目に属州ユダヤの第五代総督に任命され、イエスの磔刑を命じることになったポンテオ・ピラト（ポンティウス・ピラトゥス）の官邸から磔刑の地までということである。「ピラト行伝」とも呼ばれる「ニコデモの福音書」は言うまでもなく、マルコ、マタイ、ルカ、ヨハネの四福音書のいずれにもピラトは登場するが、イエスの処刑を望んだのはユダヤの大祭司連たちであり、総督ピラトはイエスを裁くことに乗り気ではなく、むしろユダヤ人の圧力に負けて致し方なく処刑を命じたというニュアンスで書かれている。ちなみに、ロジェ・カイヨワの『物語　ポンス・ピラト』（一九六一年）は、ピラトが狐疑逡巡ののちイエスの釈放を決断し、したがってキリスト教は生まれなかったとする物語である。キリスト教の成立には、なによりもイエスの処刑と復活が不可欠だったということが大前提になっている。

現在、始発点と終着点を含め、計十四箇所に英語でステーション、日本語訳では留（りゅう）と呼ばれる中継点がある。第九までが入り組んだ路地の途中に、残りの五つがすべてほかならぬ聖墳墓教会のなかにあるというわけである。「苦難の道」については、じつのところこれまでルートが何度も変更され、したがってこれらの留もその都度移動するという経緯があったようだ。なにせ二千年前のことゆえ確かなことはわからないのである。留の多くは、新約聖書の記述というよりは、むしろ後世の伝承に基づくらしい。留とはイエスの道行きのいわば分節点で、たとえば、イエスが死刑を宣告された場所から始まって、イエスが十字架を背負った場所が一箇所、そのイエスがここでつまづき倒れたという場所が都合三箇所、あるいはキレネ出身でエルサレムに巡礼に来ていたシモンがたまたまイエスの代わりに十字架を背負わされたとされる場所が一箇所というふうに定められている。この場所には、イエスが手をついたとされる石のくぼみが残されているのだ。それぞれの留には、なんらかの記念建造物が建てられ、イエスの物語がわかるようになっている。それらの建造物は、蝟集する商店の間に挟まれて、あるいはそれらの背後に存在する[fig.25-35]。

fig.25 ヘロデ門 ★

fig.26 ダマスクス門近くの建物屋上からの旧市街眺望 ★

fig.27 迷路のような旧市街 ★

fig.28 VIA DOLOROSAと表記された看板 ★

fig.29 イエスが十字架を背負わされたとされる場所 ★

fig.30 イエスの牢獄入口 ★

fig.31 イエスの牢獄 ★

fig.32 イエスの牢獄 ★

fig.33 イエスが最初に膝をつき倒れた場所 ★

fig.34 建物内部。倒れるイエスを見守る
天使たちの姿が背後に描かれている ★

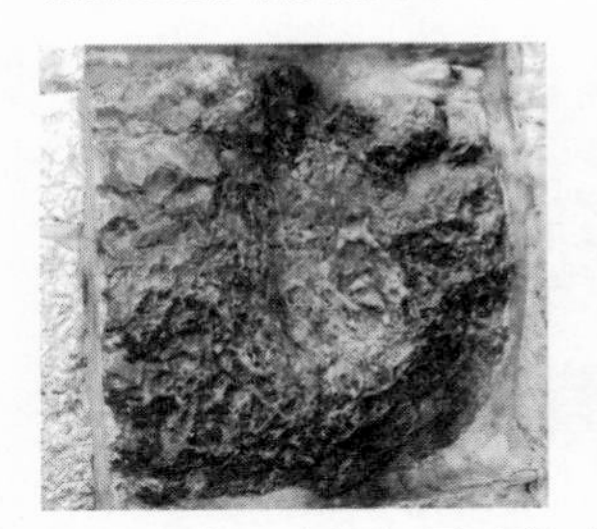

fig.35 イエスが手をついたとされる石のくぼみ ★

この十四箇所の留には、しかしながら、あの「さまよえるユダヤ人」に関わる場所は入っていない。ちなみに、芥川龍之介は一九一七年（大正六年）に『さまよえる猶太人』という短篇を書いている。「イエス・クリストの呪を負って、最後の審判の来る日を待ちながら、永久に漂浪を続けている猶太人の事である」と。

彼は、ゴルゴタへひかれて行くクリストが、彼の家の戸口に立止って、暫く息を入れようとした時、無情にも罵詈を浴せかけた上で、散々打擲を加えさえした。その時負うたのが、「行けと云うなら、行かぬでもないが、その代り、その方はわしの帰るまで、待って居れよ」と云う呪である。

芥川は、このユダヤ人が「平戸から九州の本土へ渡る船の中で、フランシス・ザヴィエルと邂逅した」との虚構を創作をしているのだが、いずれにせよ「さまよえる猶太人」の伝説の起源として、最後に「マタイ伝」第十六章二十八節と「マルコ伝」第九章一節とを挙げている。「マタイ福音書」の当該箇所にはこうある。「アーメン、わたしは言う、今ここに立っている者のうちには、死なずにいて、人の子がその国と共に来るのを見る者がある」（塚本虎二訳、以下同）。「マルコ福音書」の当該箇所も、ほぼ同じ記述である。「アーメン、わたしは言う、今ここに立っている者のうちには、死なずにいて、力強い神の国が来るのを見る者がある」。罵詈を浴びせたり打擲したりという記述はいっさいないのだが、いつしかそうした所業ゆえにこのユダヤ人は永遠の放浪を課せられたということになったらしい。

一九二七年（昭和二年）七月二十四日に芥川は自殺したが、同じ年の七月十日の日付を持つ『西方の人』において「わたしのクリスト」を仔細に叙述し、また死の前日、七月二十三日の日付を持つ『続西方の人』において、「わたしは四福音書の中にまざまざとわたしに呼びかけているクリストの姿を感じている。わたしのクリストを描き加えるのもわたし自身にはやめることは出来ない」と書いている。これが彼の遺稿となった。芥川におけるイエス・キリストあるいはキリスト教の問題は、日本近代文学史に課せられた一つのテーマであるには違いないが、ここでは彼のこだわった「さまよえるユダヤ人」の伝説が、十四箇所の留に入っていないことを確認するにとどめよう。まがりなりにも福音書に記されているイエスの言動が留として定められていないのは、不思議と言えばまことに不思議な事態ではある。「彷徨えるユダヤ人」伝説の淵源をわざわざ記念することが忌避されたためであろうか。

四福音書には記述のない、ヴェロニカが現れ出てイエスの顔を布で拭ったという場所 [fig.36] は、第六留に定められている。わずかに上り坂の道の傍に小さな石造の教会風の建物があるだけだ。ヴェロニカはもとここに住んでいたというのだろうか。洞窟のような薄暗い部屋のなか [fig.37] に入ることができたが、その奥に祭壇らしきものが設けられている。あっけないと言えば、じつにあっけない。「ニコデモの福音書」などの曖昧な記述からは、具体的なことは確定しようがないわけである。私はそこで販売されていた、聖顔布を思わせるような小さな板製のイコン[fig.38]を購入することで、ともかくも懸案の目的の達成ということにしたのだった。

fig.36 ヴェロニカがイエスの顔を布で拭ったとされる場所。建物入口 ★

fig.37 建物内部の祭壇 ★

fig.38
ヴェロニカの聖顔布（板製のイコン）★

聖墳墓教会

さて、聖墳墓教会と呼ばれる壮大な建物が「苦難の道」の終着点である[fig.39][fig.40]。イエスの墓とされる場所に建つ教会で、したがって髑髏（しゃれこうべ）を意味するアラム語に由来するとされるゴルゴタの丘はここにあったことになる。アラム語は、イエスが口にしていたと推測される言語である。ゴルゴタは、ラテン語ではカルヴァリアと言われる。

イエスが殺されてから約四十年後の紀元六十四年に、ローマ帝国はキリスト教がユダヤ教のたんなる新しい分派以上のなにものかであることに気づいた。ネロ帝による猛烈な迫害を象徴するローマ大火が起きたのはこの年である。それから二百五十年後、三一三年に皇帝コンスタンティヌス一世はキリスト教を公認した。ギボンによれば、コンスタンティヌスは「背丈高く、威風実に堂々として、何をやらせても練達であり、戦闘には大胆不敵、平時は実に温厚だった」という。「なすことすべてに積極的気魄がみなぎり、加えて習性ともいうべき思慮分別があった」(『ローマ帝国衰亡史』第十四章)。とはいえ、ひとたび治世が終わるや、冷酷放縦の君主として、とりわけその晩年の貪欲と浪費、堕落ぶりがあげつらわれるようになる(同書、第十八章)のだが。キリスト教を公認したものの帝自身が厳密にいつ改宗したかははっきりしない、とギボンは言う。彼はこう書いている。「もし厳密な教会用語からすれば、最初のキリスト教皇帝という呼称は、その臨終時まで決して妥当ではない。一

fig.40 聖墳墓教会入口 ★

fig.39 聖墳墓教会へと上っていく階段 ★

求道者として帝が按手礼を受け、つづいてさらに洗礼を受け信徒の数に加えられるのは、やっと臨終の病床だったからである」（第二十章）。帝の死は三三七年のことである。

聖遺物

三二六年には帝の母ヘレナがエルサレムを訪れ、当時ウェヌス神殿となっていたこの場所でイエスの磔刑に使われた十字架と釘を発見したとされ、この地をゴルゴタと比定したうえで、皇帝が神殿を取り壊して教会を建てたと伝えられる。三三五年に聖墳墓教会の献堂式が行なわれた際に、これらが安置されたという。

ヤコブス・デ・ウォラギネの『黄金伝説』（十三世紀）には、このあたりの事情が詳らかに記述されているが、いずれにせよヘレナの発見したとされる聖十字架と聖釘（せいてい）は、聖性の担い手として、聖画像（イコン）と並ぶ、あるいはそれ以上の存在として位置づけられる、いわゆる聖遺物（レリック）の走りとなった。聖遺物とは、聖なる人の遺体、もしくはその一部、遺骨、遺灰、あるいはその人が身にまとったり触れたりした物というのが基本だが、そうした聖遺物に接触してまた聖性を帯びる「接触型聖遺物」も存在するから、その数は限りがないとも言える。

ちなみにこのヘレナは、サン・ピエトロ大聖堂の内陣の例のバルダッキーノを取り囲む四つの支柱のうちの右奥の支柱の下、つまりモーキによる聖ヴェロニカ像に正対する位置に、巨大な十字架を右手に支えて立っている。ベルニーニの弟子アンドレア・ボルジによる《聖ヘレナ》の彫像（一六三九年）[fig.41]である。そしてこの支柱にはヘレナの発見したとされるくだんの聖遺物が保管されているというわけである。

コンスタンティヌスが三三〇年に帝都をローマからビザンティオン（ビザンチウム）に遷し、これがコンスタンティノポリス（コンスタンティヌスの都）と呼ばれるようになって以来、この「新しいローマ」は聖性を獲得しようと躍起になって聖遺物を収集し始めた。聖人たちの遺体、あるいはその一部、あるいはその持ち物、関係する事物を、いろいろな場所から割譲させようとしたのである。コレクションと言うならこれ以上はないオブセッショナルなコレクションの情熱は、ほとんど屍体愛好（ネクロフィリア）と言ってもいいほどだが、いやこれはひとりコンスタンティノポリスだけでなく、およそ聖性の権威づけを欲する教会や都市に共通のものであったと見るべきかもしれない。

身体の一部をまるで動産のようにコレクションの対象にするというこうした傾向は、聖人自体が殉教の際にしばしば身体を切断され断片化されたという伝承に支えられていたとも言えるだろう。

fig.41
アンドレア・ボルジ《聖ヘレナ》(1639)

エウセビオスの『教会史』、さらにはヤコブス・デ・ウォラギネの『黄金伝説』には、多数の聖人たちの殉教の模様が記されている。乳房を鋏で切り取られた聖アガタ、両眼をえぐられた聖ルチア、歯を抜かれた聖アポロニア、斬首された聖バルバラ、モンマルトル(殉教者の丘)で皮剥ぎされ、鉄網で焼かれ、釜茹でされ、獣の餌食になり、そして最後に斬首された聖ドニ……。聖遺物崇敬の背景には、こうしたあまたの聖人伝説があるわけである。

ちなみに、ローマのジェズ教会にはフランシスコ・ザビエルの「右腕」が飾られている。一五四九年に来日したザビエルは二年後に離日し、一五五二年に明の上川島に上陸し、そこで死去した。遺骸は石灰を詰めて海岸にいったん埋葬されたが、結局マラッカ、ゴヤを経てローマに移送され、一五五四年三月にサン・パオロ・フォーリ・レ・ムーラで三日間公開されるにいたった。そのとき参観者の一人の夫人が右足の指二本を噛み切って逃走したが、彼女の死後返却されたという。右腕下膊はローマのイエズス会総長の命で一六一四年に切断されたが、そのとき鮮血がほとばしったという「奇蹟」譚が伝えられている。

聖遺物がなぜ崇敬されるかといえば、つまるところそれらが癒しの力を保持していると信じられているからだと言うほかはない。キリストや聖人たちがしばしば治癒の奇蹟を起こしたと伝えられるように、聖遺物も聖なるパワーを発揮し続けているとみなされるのである。こうして、イエスの脇腹を刺した槍、東方の三博士の遺骸、あるいは聖母マリアがイエスを産み落とすときに使われた飼い葉桶のまぐさ(!)、さらにはイエスの割礼のとき切り取られた包皮(!!)まで発見されるにい

fig.42
ベルニーニ《聖ロンギヌス》(1639)

fig.43
フランソワ・デュケノワ《聖アンデレ》(1640)

たるのである。

ちなみに、十字架上のイエスの死を確認するためにその脇腹を刺したのはロンギヌスという名の男と伝えられるが、この槍の穂先は、サン・ピエトロのバルダッキーノを取り囲む例の四本の支柱のうち右手前の支柱に収められ、そしてその下にほかならぬベルニーニの手になる《聖ロンギヌス》の像（一六三九年）[fig.42]が長い槍を手にして立っている。モンテーニュは、聖顔布の公開の際、「同時に同様の儀式をもって、玻璃の壜に入れた槍の穂先も示された」と記している。

ちなみに、残るもう一本の支柱の下にはフランソワ・デュケノワ作の《聖アンデレ》（一六四〇年）[fig.43]の像が立つ。アンデレはペトロの兄弟でイエスの十二使徒のひとりだが、もと収められていたその頭部は、いまでは彼が殉教したパトラのギリシア正教会に返還されているようだ。ギリシアのアカイア地方のX字型の十字架で処刑されたとの伝承があり、この像のアンデレもその巨大な十字架を背後にして立つ。いずれにせよ、ペトロの墓の上に建てられたとされるサン・ピエトロ大聖堂そのものが、そもそも一個の巨大な聖遺物の殿堂と言うべきかもしれない。

こうした聖遺物をめぐる狂騒は、それはそれで一つの研究対象になる史的事態ではあるが、ここでは宗教改革の狼煙を上げた一人、カルヴァンの「聖遺物について」（一五四三年）のなかの文章を引いておこう。

最初の悪習、いわば悪の根源はイエス・キリストをその言葉、その秘蹟、またその精神的恩恵に求めようとしないで、ひとびとが習慣にならってその衣服、その下着、またその布切れの収集に没頭したことであった。したがって彼らは付属品を追求し、肝心なものを疎かにした。使徒、殉教者またほかの聖者についても同様であった。というのは彼らの模範を追い、彼らの生涯を追い慕うことをしないで、彼らの遺骨、肌着、帯、帽子、また同じような詰まらない品々を宝物として珍重し貯蔵することにあらゆる熱意を傾けた。

カルヴァンは、ヘレネによって発見されたとされる十字架にも言及しながら、各地に保存されている「その十字架の断片をことごとく寄せ集めると三百人の男がかかっても運ぶことができない」と皮肉っている。

聖遺物(レリック)は、基本的に聖画像(イコン)とは違う。神学的には聖画像(イコン)そのものとそれが表象し指示するものとの原理的区別が、聖画像を肯定することの論拠になったが、聖遺物(レリック)は、それ自体どんな小部分であろうと多少とも直接に聖なる力を有するはずの存在である。修辞学的に言えば、聖画像(イコン)は、類似性に基づく隠喩的表現、聖遺物(レリック)は、人体の一部が全体を指示する場合には提喩的表現、十字架や衣服や槍といった接触型の場合には隣接性に基づく換喩的表現ということになろう。パース流の記号論によれば、聖画像(イコン)は、文字どおりアイコン（類像）、聖遺物(レリック)はインデックス（指標）ということになるだろう。

しかし聖画像肯定の歴史のなかで、聖性の担い手としての両者の区別はしばしば等閑に付され、聖画像が聖遺物のように、聖遺物が聖画像のようにみなされてゆく。もとより、聖遺物というなら、聖人たちのというよりは、なにをおいてもイエス・キリストのそれこそが最高の聖遺物ということになるだろう。もろもろの聖人たちの聖遺物は、すべてイエス・キリストの聖遺物あるいはイエス・キリストの存在そのものを遡及的に指示するかぎりにおいてその聖性を確保していると言わなければならないからである。「アケイロポイエートス」という点において、聖画像と聖遺物というふたつの聖性の担い手は究極の一致を見る。それらは類似性と同時に隣接性を原理とする、アイコンであると同時にインデックスでもあるからだ。まさしくヴェロニカの布、聖顔布は、そしてもとより聖骸布もまた、接触型といえばこれ以上はない接触型の聖遺物であると同時に、聖なる力によって刻印された左右逆像の（「版」による）聖画像でもあるわけである。

再び聖墳墓教会について

聖墳墓教会は、七世紀初頭、ササン朝ペルシャがエルサレムに侵攻した際、火災によって損傷し、そしてさらに十一世紀には北アフリカに興ったイスラム王朝、ファーティマ朝によって、教会そのものが壊滅させられたが、土地は、一〇九五年のローマ教皇ウルバヌス二世の呼びかけによって始められることになった第一回十字軍によって奪還され、十字軍の指導者ゴドフロワ・ド・ブイヨンはみずから「聖墳墓教会の守護者」と宣言したという。

対抗宗教改革のさなかに書かれたイタリア・バロック文学の先駆的詩人トルクァート・タッソの長篇叙事詩『エルサレム解放』（一五七五年）は、こう始まる。「わたしは歌おう、あの敬虔な軍隊を、その総大将を。彼こそがキリストの尊き墓所を解放したのだから」。フランス・低地ロレーヌ公ゴドフロワ・ド・ブイヨンは、タッソの稀代の叙事詩のなかでは、ゴッフレード・ディ・ブリオーネと、もとよりイタリア語ふうに呼称されている。その彼が高い城壁を破壊し乗り越えてエルサレムをようやく攻略したのは、一〇九九年七月十五日のことである。

ちなみに、このタッソが『エルサレム解放』の第一稿を書き上げたのは、フェラーラのエステ家のアルフォンソ二世の庇護のもとにおいてであるが、彼はその激情、矜持、猜疑心のゆえに確執に駆られ諍いが絶えず、一五七七年には宮廷を脱出してイタリア各地を遊歴、二年後、一五七九年にフェラーラに戻るや狂人として（一説に、王女との交情ゆえにアルフォンソ二世の忌諱に触れて）じつに七年間も半地下の病棟＝獄舎に監禁された。釈放後も各地を流浪したが、『エルサレム解放』が初めて出版されたのは、彼が獄中にあった一五八〇年あたりのことである。

フランスの文学者スタンダールの『ローマ散歩Ⅱ』（一八二九年）の一八二八年十月二日の記述にはこうある。

僕は今夜『エルサレム』のいくつかの部分を再読した。昨年フェラーラを通ったとき、ユースタス司祭によれば芸術の庇護者ということになっている一人の偉大な君主が、タッソを七年と数ヶ月閉じこめた地下室に入ったが、明らかに自分の利益のためである。別の司祭はかれの胸像を見学させることを禁じている。どうぞご勝手に！タッソの思い出は何といっても僕にはいちだんと貴重なものなのだ。

してみれば、スタンダールがフェラーラを訪れたのは一八二七年ということになる。そしてその五十年後、一八七七年に、このとらえがたい人物にとりわけこだわったゲーテが、戯曲『タッソー』を書いている。そのゲーテの『イタリア紀行』の一七八六年十月十六日、フェラーラに着いた夜の記述にこうある。

ここではアリオストが不満の生活を送り、タッソーが身の不遇をかこった場所なのだ。——アリオストの墓にはたくさんの大理石が使ってあるが、配置が拙い。またタッソーが監禁された牢屋のかわりに、見せられたのは木造の厠や石炭部屋で、彼がこんなところに監禁されたのでないことは明らかなことである。

その『狂えるオルランド』(一五一六年)によってイタリア文学史に不朽の名を刻んだロドヴィコ・アリオストも、これをフェラーラのアルフォンソ一世の宮廷で書き上げたが、厚遇されなかったと伝えられる。ちなみに、ファブリツィオ・クレリチは、『狂えるオルランド』のためのデッサン集を一九八一年に刊行している。フェラーラを訪れたとき、ゲーテは戯曲『タッソー』の未完草稿を携えていたのである。

さて、聖墳墓協会に収められていた聖遺物がすでにコンスタンティノポリスに移されていたらしいことを教えてくれる貴重な歴史的文献がある。第四回十字軍に参加したフランス人下級騎士ロベール・ド・クラリの記録である。一二〇三年に聖地奪回を目指して出帆した十字軍は、しかし海商国家ヴェネツィアの誘いに乗って、本来の目的地たるエルサレムに向かわず、東西交易の要所コンスタンティノポリスを襲った。一二〇四年には、この壮麗な「東ローマ」は、同じキリスト教徒による徹底的な収奪によってほとんど丸裸にされたのである。ロベール・ド・クラリの記録は、幸い『コンスタンチノープル遠征記』として邦訳が出ているが、そこでブコレオン宮の礼拝堂についてこんな記述が見える。

> この礼拝堂の内部には、すこぶる貴重な聖遺物が収められ、太さは人の脚ほど、長さはおよそ半トワーズあるなんと正真正銘の十字架の断片が二つあった。また、主の脇腹を貫いた槍の鉄尻と両の御手と御足を打ち抜いた釘も二本あった。さらに水晶の小瓶には主の御血のほとんどが入っており、その上主が身に着けておいでになりながらカルヴァリアの丘を引き立てられたまいし折、剥ぎ取られた御衣もあった。なおまた頭に被せられた錐のように鋭く突き刺さるハリエニシダの聖なる冠もあった。おまけに聖母様の御衣の一部、洗礼者ヨハネ様のしゃれこうべ、その他多くの貴い聖遺物がそこにはあり、とうていそれを言い尽くし、あるがままを伝えることはできるものではない。

イコノクラスム論争後、聖画像(イコン)制作の中心地になっていたコンスタンティノポリスで見出されたおびただしい聖遺物が、じつのところどの程度まで信憑性のあるものなのか誰にも確言できない。いずれにせよロベール・ド・クラリの記録は、史料的にとりわけ聖骸布の存在に言及したものとして評価されるのが常である。聖骸布についてのもっとも信頼できると思われる研究書、ガエタノ・コンブリ『聖骸布』（サンパウロ、一九九八年）には、ロベール・ド・クラリのこんな言葉が引かれている。「この町に、ブラケルネの聖母マリア修道院がある。そこには我らの主が包まれた亜麻布があり、毎金曜日、真っ直ぐに立てられ、我らの主の姿がよく見える。しかし町が陥落した後、その布の行方についてギリシア人もフランス人もだれも知らない」と。これはまさしく聖骸布以外のなにものでもあるまい。写本の複写・校訂の問題があるが、邦訳『遠征記』のほうには、このような聖骸布そのものを直接に思わせる記述は見出すことはできない。ただ、ブコレオン宮殿の「礼拝堂のど真ん中に吊されていた」布についての言及がある。とはいえ、「主の顔の形が染み付いた」その布が「大勢の病人を癒した」という伝承がそこで語られているところから、これは聖骸布というよりもむしろ聖顔布、それもエデッサのマンディリオンの情報の変形のように思われる。

史的情報は錯綜し、つまるところすべては曖昧なままである。確かに言えること、それは、歴史の闇をかいくぐり、いまくだんの聖顔布はローマに、聖骸布はトリノにあるとされているということだけである。

さて聖墳墓教会は、現在、カトリック教会、東方正教会、アルメニア使徒教会、コプト正教会、シリア正教会の複数教会による共同管理がなされている。しかもいささか驚くべきことには、イスラム教徒の二つの一族に鍵の管理が委ねられているのだ。キリスト教各教派に対して中立を保てるからということらしい。

fig.45 イエスの墓 ★

fig.44
聖墳墓教会、イエスの墓がある小聖堂 ★

そんな複雑な事情を抱えた聖墳墓教会だが、第十から十四までの留がこの教会の内部に定められている。それらは順次、イエスが着物を剥ぎ取られた、十字架に釘打ちされた、十字架上で死んだ、十字架から降ろされた、墓に埋葬されたという五つの物語要素に相当する。中央ドームにイエスの墓と称されるものを収める小聖堂［fig.44］が確かにあって、世界中からの巡礼者、観光客でいっぱいである。私も長いあいだ列に並んで、ようやくその「墓」［fig.45］をつぶさに眺めることができたのだった。

こうして私はともかくも「苦難の道」をみずから辿り、ヴェロニカの出現場所も一応確かめることができたわけである。すべては歴史のはるか彼方、あるいは定かならぬ伝承の物語にほかならないが、後世の人間たちはそれに具体的な場所を与えて物語を現実に生きようとしている。

聖誕教会と嘆きの壁

私はイエス生誕の地とされるベツレヘムにも行った。エルサレムから車で一時間弱の距離である。パレスティナのヨルダン地区南部ベツレヘム県にある聖誕教会（降誕教会とも呼ばれる）を訪ねるために、イスラエルが建設した高い分離壁が片側に延々と続く道を行ったのである。

「ルカ福音書」第二章によれば、全ローマ帝国の人口調査の勅令が皇帝アウグストゥスから出され、そのため「ヨセフもガリラヤの町ナザレから、ユダヤのベツレヘムというダヴィデの町へ上った。彼はダヴィデ家の出、またその血統であったからである。すでに身重であった妻マリアと共に、登録を受けるためであった。するとそこにおる間に、マリアは月満ちて初子（ういご）を産み、産着（うぶぎ）にくるんで飼葉桶（かいばおけ）に寝かせた。宿屋には場所がなかったからである」。イエスはここベツレヘムで誕生し、ヨルダン川の水でヨハネから洗礼を受け、そして何度となくエルサレムを巡礼した後そこで処刑されたわけである。

聖誕教会は［fig.46］［fig.47］、紆余曲折はあったものの二〇一二年に世界遺産に登録された。イエス降誕と伝承される洞

fig.46 ベツレヘムの聖誕教会外部 ★

穴[fig.48]の上に、これもコンスタンティヌス帝の時代に聖堂の建設が始められ、三三九年に完成したとされる。そしてこの建物の設計には、やはり帝の母ヘレナが関わったと伝えられているのである。この教会は六世紀に火災のため大部分が失われたそうだが、すぐにユスティニアヌス帝によって再建され、そのロマネスク様式の建物が現存するということになる。この教会は、現在、ローマ・カトリック（フランシスコ会）、東方正教会、アルメニア使徒教会が区分所有する。その成立と経緯とは、聖墳墓教会と構造的にほとんど変わらないと言ってもいいかもしれない。

ところで、ユダヤ人地区には有名な「嘆きの壁」がある。すでに紀元前十世紀頃にこの場所に建てられていたというエルサレム神殿が、紀元前二十年頃にヘロデ大王によって大拡張された。紀元七十年にユダヤ人による大反乱（ユダヤ戦争）があり、ティトゥス率いるローマ軍により鎮圧されたが、その際、エルサレムは炎上し、神殿は破壊され、神殿を取り囲んでいた壁のうち、わずかに西側の壁の一部

fig.47 ベツレヘムの聖誕教会内部 ★

fig.48 聖誕教会の地下洞穴、
イエスが生を享けた場所を示す銀の星印 ★

分だけが残った。高さ十九メートル、幅数十メートルのこの「西の壁」［fig.49］こそが、ユダヤ教徒にとってもっとも神聖な、礼拝と祭儀が行なわれる場所である。

驚いたのは、ここに入るためには厳しい男女差別があるということだった。男は左側の入り口から、女は右側の入り口から入場することになっていて、これは厳守されねばならない。男側の壁［fig.50］ばかりが報道されるので、ごく当然のようにイメージが出来上がっているが、男たちの壁と仕切りで隔てられた向こう側では女たちが同じように屹立する壁の前に立ち、手を掛け、あるいは身体をもたせかけ、あるいは祈りの姿勢をとっているのである。行ってみなければわからないとは、まさにこのことである。ユダヤ教について、いささか考えさせられる事態ではあるまいか。

いずれにせよ、こうして私の数日間のエルサレム行は、一神教なるものについての思いを多少とも新たにしながら終わったのだった。

fig.49「嘆きの壁」外部 ★

fig.50「嘆きの壁」男性側 ★

III

濡れ衣としての聖骸布

さて、ヘブライズムの原点エルサレムへの「バロック的遁走」から、再び視点をクレリチの絵に戻すことにしよう。布に包まれた死体らしきものをあえてイエス・キリストの遺体と見たわけである。いま問題は、ジュゼッペ・サンマルティーノの《ヴェールに包まれたキリスト》[fig.51]である。

ほとんど半透明のヴェールに包まれて墓に横たわるキリストの姿を大理石で彫り出したものだが、その表面の柔らかな質感を感じさせる技倆たるや尋常ではない。この「ヴェール」が、もとより聖骸布にほかならぬことは言うまでもない。

fig.51 ジュゼッペ・サンマルティーノ《ヴェールに包まれたキリスト》(1753)

アリマタヤのヨセフが磔刑後のイエスの遺体を香料とともに亜麻布で包んだという四福音書の記述に由来する。イエスの処刑後三日目に、マグダラのマリアは初めて墓に近づくことができた。が、墓の蓋は空いており、イエスの遺体は消えていた。当惑するマリアの背後から、「マリアよ」と呼びかける声がするので振り向くと、そこにイエスが立っていた。イエスに駆け寄ろうとしたマリアは、イエスに「我に触るるな」(Noli me tangere!)と諌止されるのである。多くの絵画の題材にもなってきた、あまりにも有名な場面である。ところがしかし、空(から)になったはずの墓のなかに当の亜麻布が残されていたかどうかについては、わずかに「ヨハネ伝」にそれらしき記述が見えるだけである。

イエスの遺体を包んだとされる聖骸布の入り組んだ伝承については、先に触れたとおりだが、最終的にトリノの洗礼者ヨハネ大聖堂に納められた例の聖骸布[fig.52]は、イエスの遺体を布で「包んだ」と言うにはまことに不思議な形状を示している。四メートルほどの細長い布の上に頭を接して逆向きに横たわる一メートル八十センチほどの身長の二つの人体像が見てとれるのだ。写真映像のネガの状態[fig.53]でようやく認知できるほどの漠然たる姿である。つまり、この細長い布自体が一枚のフィルムのようにイエスの身体の前面と背面をネガ状態で保存していたわけで、写真撮影されたネガフィルムによってようやくポジの姿が浮かび上がったわけである。この聖骸布の成立については諸説紛々、レオナルド・ダ・ヴィンチによる偽造説まであるが、いずれにせよイエスの遺体を「包んだ」とはとても言えない。長い布の上に頭がちょうど真ん中にくるように遺体を置いて、布を頭のところで二つ折りにして身体の前面に被せたとしか考えられない。イエスの遺体からなにか「力」のようなものが出て、この布にみずからの前面と背面の映像をネガ状態で刻印したというこ

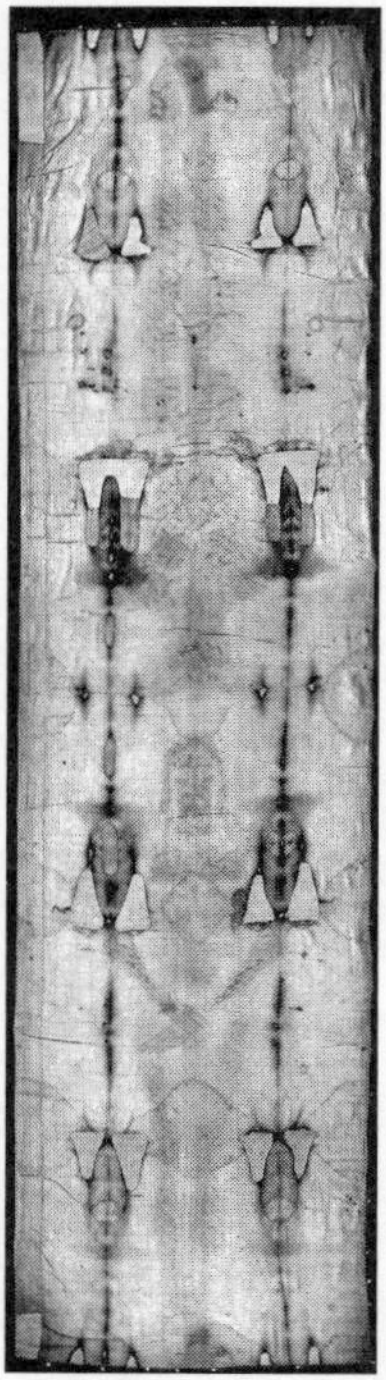

fig.52 トリノの聖骸布

fig.53 トリノの聖骸布：ネガ

とだろうか。

そしてこのトリノの聖骸布には、額（ひたい）と脇腹と重ねられた両手首に血がついている。注目すべきは、手のひらではなく、手首に血がついていることで、これは明らかに伝承とは異なる。多くの磔刑図に一目瞭然のように、イエスは十字架に架けられる際、両の手のひらに釘を打たれたことになっている。ところが、手のひらの釘によっては全身の体重は支えられず手が裂けてしまうことが物理的に確かめられている。手首の骨の間に釘を打てば、全身は支えられるのだ。偽物を作るにしても、伝承とは違うことをあえてやるだろうかという意見も確かにあるわけである。

しかしここで留意すべきは、聖骸布の細長い形状とそこに写（映）しとられたイエスの「映像」のありようは、写真撮影が可能となった十九世紀後半以降に初めて十全に明らかになったということである。トリノの聖骸布には縦横に黒い筋が入っているのが見てとれるが、それらはこの布がたたまれていて、どうやら保存されていた場所が火事にあった時についたらしいと推測されているように、仮に人々がこれに接する機会があったにしても、幾重にもたたまれた状態で見るほかはなかったはずで、だからこそ聖骸布と聖顔布は同一物だという解釈も出てくるわけである。いずれにせよ、人々はイエスの遺体を亜麻布で「包んだ」という聖書の記述を、伝統的にそのまま受けとってきたと見なければならない。

さて、それならばくだんの《ヴェールに包まれたキリスト》の特異性とはなんだろうか。「包まれた」という表現は、伝統的、一般的解釈に基づいた訳である。聖書によればイエスは亜麻布に包まれたからだ。だが、このヴェールは、とても亜麻布のようには見えない。イエスの顔と全身をあらわに見せているこの薄く透けた「布」は、まさしくヴェールとしか言いようがない。そう、これはヴィンケルマンやヘルダーの言う「濡れ衣」以外のなにものでもあるまい。ここでは聖骸布が、身体にぴったりと張りついてその輪郭と起伏をシースルーにする「濡れ衣」になっているのである。

ジュゼッペ・サンマルティーノは、一七二〇年にナポリで生まれ、一七九三年にナポリで死んだ彫刻家である。ヴィンケルマンの同時代人だが、彼の『ギリシア美術模倣論』が出て評判になった一七五五年よりも二年前の一七五三年にこの《ヴェールに包まれたキリスト》を完成させている。ナポリ人の彼がヴィンケルマンを読んだはずはないし、おそらく少なくともこの時点で彼の名前すらも知らなかったに違いない。だが期せずして、彼らに先駆するように、サンマルティーノは「濡れ衣」を実践した。それもイエス・キリストの身体で。

ヴィンケルマンやヘルダーの論点は、「濡れ衣」が身体の美しい輪郭と起伏を見せるためのギリシア彫刻の比類のない発明だということにあった。それはまさしくヘレニズム固有の意匠なのだ。ところが、ジュゼッペ・サンマルティーノは、それをイエスの遺体を「包む」聖骸布に応用した。聖骸布としての亜麻布が、まさに濡れ衣として表現されている。イエスの顔も身体の輪郭と起伏もあますところなくあらわになっている。ここにはギリシア彫刻とキリスト教、ヘレニズムとヘブライズムとの驚くべき調和があると言っていい。

ところで、この彫刻を納めるナポリのサンセヴェーロ礼拝堂は、それ自体まことに特筆すべき建物である。礼拝堂は、一五九〇年に建立されたが、最終的には第七代サンセヴェーロ公ライモンド・ディ・サングロによって一七四四年に完成を見た。時代はすでに十八世紀半ばだが、まぎれもないバロック様式の建物である。

この礼拝堂には、じつはさらにフランチェスコ・クゥエイローロの《覚醒》（一七五二—五九年）[fig.54]と、アントニオ・コッラディーニの《ヴェールに包まれた貞潔》（一七五一年）[fig.55]という二体の彫刻作品がある。前者は、網に閉じこめられたサンセヴェーロ公の父親が、その網に象徴される放蕩、迷妄、あるいは偽りの信仰から逃れようとするのを翼ある天使が手助けしようとしていると解釈される作品であり、後者は、公の誕生後に二十三歳の若さでみまかった母親をあらわしていると推定される作品である。両作品を公の父母に関係させる一般的解釈の当否はともかく、《ヴェールに包まれたキリスト》ともども、この礼拝堂の彫刻作品に共通なエロティックなまでの表層感覚はただごとではない。《ヴェールに包まれたキリスト》は、初めアントニオ・コッラディーニに依頼されたらしいが、一七五二年にコッラディーニが死去するとともに、そのあとを承けたサンマルティーノがコッラディーニの残したスケッチを自由に解釈して制作完成させたとの考証がなされている。《ヴェー

fig.54 フランチェスコ・クゥエイローロ
《覚醒》（1752-59）

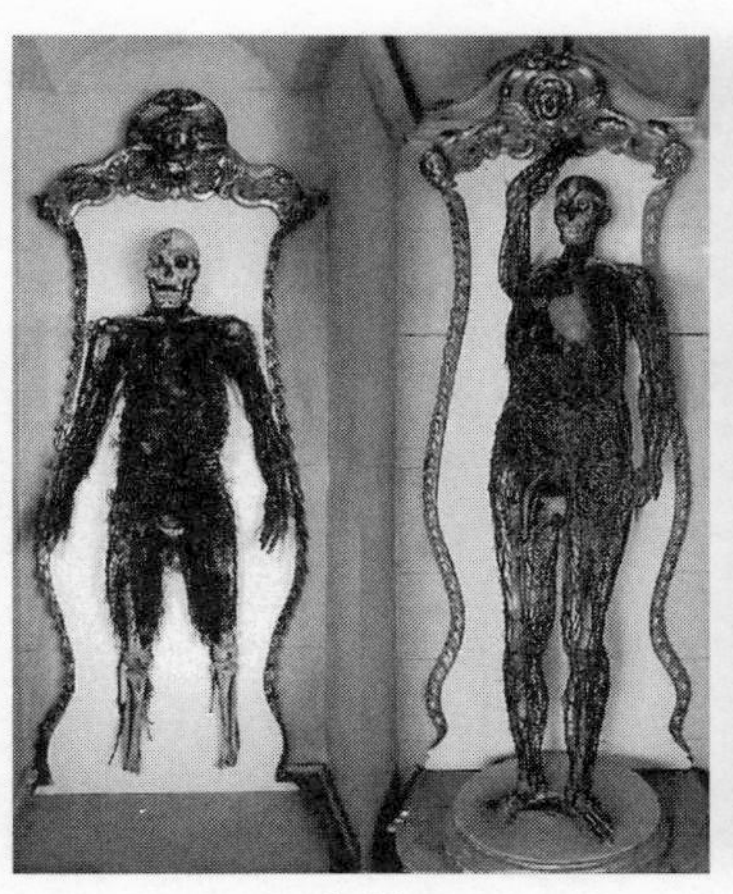

fig.56
二体の《解剖学的装置》★

fig.55 アントニオ・コッラディーニ
《ヴェールに包まれた貞潔》(1751)

ルに包まれた貞潔》の驚くべき「濡れ衣」のありようからすれば、その傑出した表層感覚はコッラディーニからサンマルティーノへと確実に受け継がれたと言うべきだろう。

さらに驚くべきは、「不死鳥(フェニックス)の部屋」と呼ばれる地下の一室にある二つのガラス・ケースの中身である。そこには男と女の骸骨が直立していて、ほぼ完全な動脈・静脈・循環系があらわに全身を走っている。「解剖学的装置(macchine anatomiche)」[fig.56]と呼ばれるこれらの二体は、パレルモのジュゼッペ・サレルノによって、一七六三、四年頃、本物の人体を用いて製作されたと考えられている。だが、製作法と材料がいまだに明らかにされていない。二体に水銀を〝注射〟し、血管を金属化させたか、あるいは蜜蝋や着色剤も用いられたかなど、さまざまに推測されているだけである。

第七代サンセヴェーロ公、ライモンド・ディ・サングロについては、〝黒い噂〟が絶えず、魔術師、錬金術師、医師、音楽家、発明家など、さまざまな呼称が与えられ、「不死の人」カリオストロ伯との関係も取り沙汰されるなど、その実態はいまだに謎に包まれている。二体の「解剖学的装置」も、二人の召使いを殺して作ったとの根強い伝承がある。ちなみに、アメリカの作家レイモンド・クーリーの小説『ウロボロスの古写本』（二〇〇七年）は、このライモンド・ディ・サングロがサン・ジェルマン伯の不死の秘密を狙うところから始められる物語である。いずれにせよ、この稀代の人物が、「不死鳥」という言葉からも暗示されるように、不死と再生の神話を身をもって体現しようとしていたことはおそらく間違いあるまい。キリストにまつわる聖遺物（レリック）を蒐集しようとしたわけではない。しかし《ヴェールに包まれたキリスト》という奇蹟的な作品を現前させることで、あらゆる聖遺物が遡及的に指向するところの聖骸布と、そして半透明の聖骸布に包まれたキリストその人が体現し発現するところの聖性の力を己れのものにしようとしたのだ。それは絵画ならぬ彫刻としての聖画像（イコン）と聖遺物（レリック）との一致という美しい仮象である。

　聖骸布としての亜麻布がギリシア的な「濡れ衣」として表現されることで、そこにヘブライズムとヘレニズムとの美しい調和が見てとれるとすれば、それは、キリストの像化がそもそも異教の神々の表象を借りるところから出発したという聖性の歴史の、奇しくもひとつの帰趨を示す事態であると言えるかもしれない。

《聖チェチリア》

《ヴェールに包まれたキリスト》の下方のくぼみに横たわる8番の像は、ステファノ・マデルノ（一五七六頃—一六三六）作《聖チェチリア》[fig.57]である。《ローマの眠り》の画面の中央ではなく、左から三分の一、下からも三分の一あたりに位置するが、画面全体の透視画法を示唆する線がすべて聖骸布とチェチリアとをつなぐこの虚ろな空間、あるいは像そのものに収斂するかのようで、この像こそが実質的にまさしく画面全体の消失点、要するに焦点になっていると言っても過言ではない。

この像は、トラステヴェレ地区のサンタ・チェチリア・イン・トラステヴェレ聖堂にある。右脇を下にし、身体を正面に向けて横たわり、両腕をそろえて前に投げだしているが、頭だけは後ろにねじられて、顔は隠されている。全身は長衣の襞で覆われ、わずかに手と足だけがはみでている。両の膝は、まるで胎児のように折り曲げられている。髪の毛はヴェールのようなものに包まれて頭の向こう側を廻り、見えない顔の下からこちら側に流れでている。項（うなじ）と左の頬の一部と耳だけ

fig.57 ステファノ・マデルノ《聖チェチリア》

が、むきだしに見えている。

この異様な彫像の恰好は、なにを意味しているのか。ヤコブス・デ・ウォラギネ『黄金伝説』によれば、これはラテン語でカエキリアという名の女性にまつわる伝承に基づくが、いまではイタリア語でチェチリアと呼びならわされている。チェチリアは、ローマ貴族の娘で、ウァレリアヌスという貴族と結婚したが、そのときキリスト教徒として純血の誓いを立てたことを夫に打ち明けた。夫はこれに賛成し、みずからも改宗した。二人を祝福するかのように、天使が現れ、(一説にカエキリア Caecilia の名が「天の百合」coeli lilia を意味するように) 百合の冠をチェチリアの頭に、薔薇の冠をウァレリアヌスの頭に置いた。

しかし二人の改宗が露見し、まず夫が処刑された。チェチリアは蒸し風呂の蒸気のなかでの窒息死の刑を宣告されたが、しかし天使が空の高みから冷気を送りつづけたおかげで奇跡的に生きのびた。今度は斬首の刑に処せられたが、首切り役人は三度の試みにことごとく失敗した。ローマの掟は四度目の試みを禁じていた。瀕死のチェチリアは三日間自宅の床に臥し、その間に貧民たちに自分の富を分配し、そして天使に魂を返した。アレクサンデル帝の治下紀元二二五年頃、あるいはマルクス・アウレリウス帝の治下紀元二二〇年頃であったともいう。チェチリアは、生前オルガンを発明し、婚礼の夜その伴奏で歌いながら夫の部屋に入ったとも、それを神の奉仕のために献上したとも伝えられる。そのため彼女は音楽と音楽家の守護聖女となり、記念日が十一月二十二日に定められている。

それにしても、彼女はなぜこんな格好をしているのか。彫刻家ステファノ・マデルノが依頼を受けてこれを制作し始めたのが一五九九年、わずか二十四歳のときである。ほとんど無名に近かったこの彫刻家が、たとえばラファエッロが一五一六年に描いた《チェチリア》（ボローニャ絵画館）のようなあまりにもまっとうな図像表現を避けて、絵画と彫刻との違いがあるとはいえ、革命的ともいえるこうした異様な姿勢をとらせたのはなぜだろうか。

一五九九年十月二十日、サンタ・チェチリア・イン・トラステヴェレ聖堂の地下墳墓が掘り起こされ、そこで木製の棺が発見され、これこそが聖チェチリアの亡骸を納めた棺に違いないと認定された。そのとき、欠損も腐敗もない、若き乙女の「手つかず」の「まったき」姿が現れたとの奇蹟譚がどうやら広まったらしい。マデルノの彫像は、聖女が発見された当時の状態そのままを再現したものだとの言説も登場することになった。ちなみに、ジョルジュ・ディディ＝ユベルマンは、その『ニンファ・モデルナ』（二〇〇二年）において、この問題について一章を割いているが、そうした言説はまったくのでっちあげであり、棺を開けたチェチリアの「発見者」たちは、そこにただの汚れたヴェール、あるいは古い布きれ、積み重なった襤褸布、埃にまみれた切れ端を見たにすぎない、と述べている。「そこに見えたのは、全部合わせても、ごちゃごちゃした判然としない布きれでしかなかった」と。ニンファ（ニンフ）は凋落・落下し襞や襤褸布のうちにその身を隠すというディディ＝ユベルマンならではのテーゼに、聖チェチリアという女性にまつわるこの間の事情はまさに恰好の題材であったろう。

マデルノの彫像が徹頭徹尾彼自身の構築作業の成果であることは間違いあるまい。しかしそれにしてもこの異様に印象的な姿勢はどうして構想されたのだろうか。この点についてドミニック・フェルナンデスはまことに特異な説を披瀝している。フェルナンデスは、一五九九年という日付が、史上初のオペラ『ダフネ』の二年後、同じヤコポ・ペーリの第二作『エウリディーチェ』の一年前であることに注意を促し、そしてこう述べている。

「顔を隠し、みずから目をふさぐこの仕草によって、チェチリアは、新形態の芸術を拒否し、オペラに対してノンといっているのだ。それにしても、なぜこれを拒否するのか。音楽の守護者であるチェチリアが愛し、庇護するのは、当時の人々の耳に響いていた音楽だけなのだ。十六世紀末までの器楽曲、声楽曲だけなのだ。……だからこそチェチリアは柩のなかでまで、純粋な音楽のための器官である耳は人目にさらしつづけながら、目は床に押しつけようとする。というのも目は、バロック芸術の新指導者たちが押しつけようとしている不純な音楽のための器官だからだ。見ることではなく聞くこと――それこそがオペラ時代以前の音楽の誇り高いモットーだった」。

まことに穿った、まことに斬新な解釈というほかはない。フェルナンデスの主張が正鵠を射ているとすれば、この彫像は耳をそばだてている存在、見ることを拒否し、ただ聞こうとしている存在ということになる。華々しく開始されようとするバロック・オペラ時代にネガティヴなかたちで関わることで、これは逆説的にも初期バロックの問題作たりえているというわけだ。しかし……

しかし、フェルナンデスの言うようにベルニーニのルドヴィカ・アルベルトーニの表情が「べル・カント」のヒロインを想わせるなら、マデルノのチェチリアのうちにオペラ的な身振りを見てとっても間違いとは言えないはずである。なによりも彼女は、項(うなじ)を際立たせ、そこに生々しく口をあけた斧の傷痕をわれわれに見せているのだから。しかも頭部の周囲に広がったヴェールは、あたかも血の流れを形象化しているかのようだ。前方に重ねられた右手の人差し指と中指、左手の人差し指の都合三本の指が、キリスト教の三位一体の教えをあからさまに肯定し主張しているようでもある[fig.58]。

これは拒否の姿勢というよりは、むしろ逆説的にも顕示の姿勢なのではあるまいか。これは、みずからの存在を独特のかたちで顕示する死体なのである。タナトスとエロス、官能と苦痛とその極みとしての死、そうした両義的な意味の化身としてチェチリアは横たわる。これはまさにバロック以外のなにものでもないと言わねばなるまい。クレリチがみずからの画布の焦点に彼女を据えたのも、その比類のない姿によって彼女が端的にバロック的なるものを象徴しえているからである。

ところでディディ＝ユベルマンは、チェチリアの「悲痛なエレガンスに満ちたその姿勢」が、ある古代の「定型」からの借用であることに説き及んでいる。それは、ナポリ考古学博物館に納められている、

fig.58 ステファノ・マデルノ《聖チェチリア》部分

ヘレニズム期ギリシアの大理石彫刻のローマによる模刻《死せるペルシア人》である。ディディ＝ユベルマンは、「借用」という言葉を用い、そのかぎりでマデルノの意識的模倣的操作を前提しているわけだが、また「定型」という言葉を用いることで、これがアビ・ヴァールブルクの根本概念「情念定型（パトスフォルメル）」の問題圏に入るものであることを示唆している。ヴァールブルクの「情念定型」についてディディ＝ユベルマンは、『ニンファ・モデルナ』と同年に刊行された大部の書物『残存するイメージ』において余すところなく論じているが、それによれば「情念定型」とは、「強い情念を表現するにあたって、時代と地理の隔たりを横断して反復される身体表象の定型」のことである。ディディ＝ユベルマンはマデルノのチェチリアを、「くずおれる身体」に形を与えた数多の作品のひとつと見ているわけである。

作家にとって意識的な「模倣」であるものが、ヴァールブルク的視野からは「残存」（Nachleben）であることになる。ヴァールブルクは、ヴィンケルマン的な古代芸術の「模倣」（Nachahmung）に対して、「古代の残存」を主張したのである。ヴィルヘルム・イェンゼンの『グラディーヴァ』（一九〇三年、仏訳一九三一年）にいたく刺激を受けたフロイトとシュルレアリストたちが、後ろ足の踵を垂直に立てて歩く女にこだわっていた頃、ヴァールブルクは十五世紀フィレンツェの画家ドメニコ・ギルランダイオの《洗礼者ヨハネの誕生》（フィレンツェ、サンタ・マリア・ノヴェッラ聖堂）の画面右に登場した女にこだわっていた。誕生を祝うように果物籠を頭に載せ酒瓶を左手に下げた女は、やはりその後ろ足の踵を立てて、静謐で神聖な誕生の場面とはおよそそぐわないようなかろやかさで登場する。ヴァールブルクは、やはりこの女の運動のありよう、「身体表象」に注目していたのである。ディディ゠ユベルマン流に言えば、この女もまた「ニンファ（ニンフ）」であり、そしてこのニンファとグラディーヴァは、「残存するイメージ」の二つの固有名として立ち現れるのである。「模倣」か「残存」か、これは単純な二者択一の問題ではあるまい。「模倣」を採るなら、それは芸術家と芸術史的様式の問題に関係することになり、古代の「再生」を議論することにもなる。そもそもルネサンスとは、そうした観点に基づく概念である。「残存」を採るなら、それはもはや「芸術」あるいは「芸術史」という圏域を超えて、精神分析的な無意識や抑圧や徴候（症状）といった概念にも似て、人類学的イメージ全体を問題にすることにもなろう。実際、ヴァールブルクはそうした問題圏を視野に収めようとしていた。

この議論にこれ以上立ち入ることは控えるが、いずれにせよクレリチの作品が、ほかならぬ「身体表象」に、ビュシ゠グリュックスマンのいわゆる「身体の狂気」に関わっていることはあらためて言うまでもあるまい。

カプチン僧

クレリチの「身体表象」とは、とりもなおさず死と眠りのそれである。

横たわるチェチリアの像の右下、9番の番号をふった画面中央手前の床下に垣間見える僧衣を着

fig.59 ファブリツィオ・クレリチ《パレルモの大いなる懺悔》(1954)

fig.60 骸骨寺

fig.62 ファブリツィオ・クレリチ《屍衣》(1955)

fig.61 骸骨寺

た骸骨たちは、クレリチの《パレルモの大いなる懺悔》（一九五四年）[fig.59]に登場するカプチン僧の再来である。カプチン僧とは、アッシジの聖フランチェスコの精神の厳格な伝統を遵守するフランチェスコ修道会の分派の一つ、カプチン修道会に所属する僧のことである。一五二五年にマッテオ・バッシによって始められた。その名は薄チョコレート色の修道服についている長い頭巾、イタリア語のカップッチョ cappuccio に由来する。ちなみに、コーヒーのカップチーノは、修道会士 cappuccino の修道服の色と似ているところから来ている。

ローマのヴェネト通りにカプチン会のサンタ・マリア・インマコラータ・コンチェツィオーネ教会、通称「骸骨寺」が高くそびえている。バルベリーニ枢機卿の依頼でアントニオ・カソーニが一六二六年に建てたと伝えられるが、クリプタと呼ばれる地下納骨堂に四千体に及ぶ骸骨がびっしり並べられて異様な空間が現出している[fig.60][fig.61]。カプチン会では亡くなった修道士たちをクリプタに葬る習慣があり、遺体は腐敗せず乾燥して、埋葬からほぼ八ヶ月でミイラ化したようだ。もとより、さまざまな防腐処置がほどこされたうえでのことに違いないが、十六世紀から十九世紀の「骸骨」化した遺体が多様な意匠で組み合わされて、バロックというよりはむしろロココという形容がふさわしいような全面装飾的な建築空間にまぎれこんだような気にさせられる。悪趣味といえば悪趣味だが、軽やかな、文字どおりあっけらかんと乾いた「死」の表象ではある。

クレリチのカプチン僧は、どうやら「骸骨」化しているらしき頭部を見せて全身に屍衣をまとっている。ベルニーニのルドヴィカ・アルベルトーニの全身を覆う襞、ジュゼッペ・サンマルティーノのキリストの聖骸布、そしてステファノ・マデルノのチェチリアの長衣も、すべて屍衣といえば屍衣であろう。この画面の左上から画面中央手前下まで斜めに屍衣の表象に貫かれている。あるいは、アルベルトーニ、イエス・キリスト、チェチリアの襞を、カプチン僧の屍衣が受けとめていると言ってもいいかもしれない。

そういえば、クレリチは、この《ローマの眠り》と同年、一九五五年にそのタイトルもずばり《屍衣》(La Sindone)[fig.62]という絵を描いている。カプチン僧か否か定かならぬ長衣をまとった僧が画面左の岩場に腰掛けて右手を祈るように前方に差し出し、画面右の生い茂る雑草の下に置かれた柩らしき箱のなかには屍衣に覆われた遺体が横たわっているのが見える。とはいえ屍衣の内部には、腰から太腿にかけてとても骸骨化したとは言えない量塊性が見てとれるのだ。ひょっとしたら女性かもしれない遺体が、現生に執着を残しながらまだ朽ち果てるのを拒んでいるかのようでもある。クレリチならではのアイロニーと言うべきだろうか。

画面右側の彫刻群

キリストの肉体をほとんど感じさせぬサンマルティーノの聖骸布(ヴェール)と特異な肉体的形姿の際立つマデルノのチェチリアとのちょうど中間の高さにある画面右側の彫刻群を見てみよう。

まず10の番号を振った、右腕を頭の上にのせ、左手で頬杖をついた《眠るアリアドネ》(Arianna

fig.63《眠るアリアドネ》（2C）

addormentata）[fig.63]。紀元二世紀、ヘレニズム時代の作とされるこの彫像は、ヴァティカーノ宮殿にある。テセウスに糸玉を与えて迷宮のミノタウロス退治を助けたアリアドネは、ともにクレタ島からナクソス島へ脱出するが、そこで眠っているあいだにテセウスに置き去りにされてしまう。一説に、彼女はすでに身ごもっており産褥で死んだともいうが、ディオニュソスに助けられその妻になり何人もの子をなしたいうのが一般的伝承である。いずれにせよ、ここにもまた官能と苦痛、エロスとタナトス、眠りと死、そして肉体を覆う襞がある。何度か補修されたこの作品は、フィレンツェにもヴァージョンが存在する。アリアドネのこの際立って特異な姿勢は、二十世紀のジョルジョ・デ・キリコの作品のうちにもなお存続し続けることになるだろう。

《眠るアリアドネ》のすぐ下に横たわる、11の番号を振った作品は、ニッコロ・メンギーニ（一六一〇—一六六五）作の《聖マルティーナ》（Santa Martina）[fig.64] の彫像である。この彫像を収める聖ルカ・マルティーナ教会は、一六三五年にピエトロ・ダ・コルトーナによって建立された。彼はその前年、聖マルティーナの聖遺物をこの教会の建てられる土地の下に発見したというのである。したがって彫像の制作年も一六三五年とされる。マルティーナは、アレクサンドル・セウェルス帝のローマで紀元三世紀初頭(二二六年か二二八年)に殉教したと伝えられる女性である。

典型的なバロック教会のなかに、斬首の刑に処せらたマルティーナはチェチリアと同じく右脇腹を下に横たわる。ここでも着衣の無数の襞が整然と波打っている。しかし、顔はこちら側に向けられ、髪は真ん中で二つに分けられて、布を象った雪花石膏にのせられている。落ちついた容貌から、ここには平和と幸福があるように感じられる。特徴的なのは、組み合わされた両腕の信頼しきった姿である。これは、テレサやルドヴィカのあの乳房を揉みしだく激情的な手の対蹠点にあると言ってもいい。またそろえて投げだされたチェチリアの手とも異なる。こんなにも優しく穏や

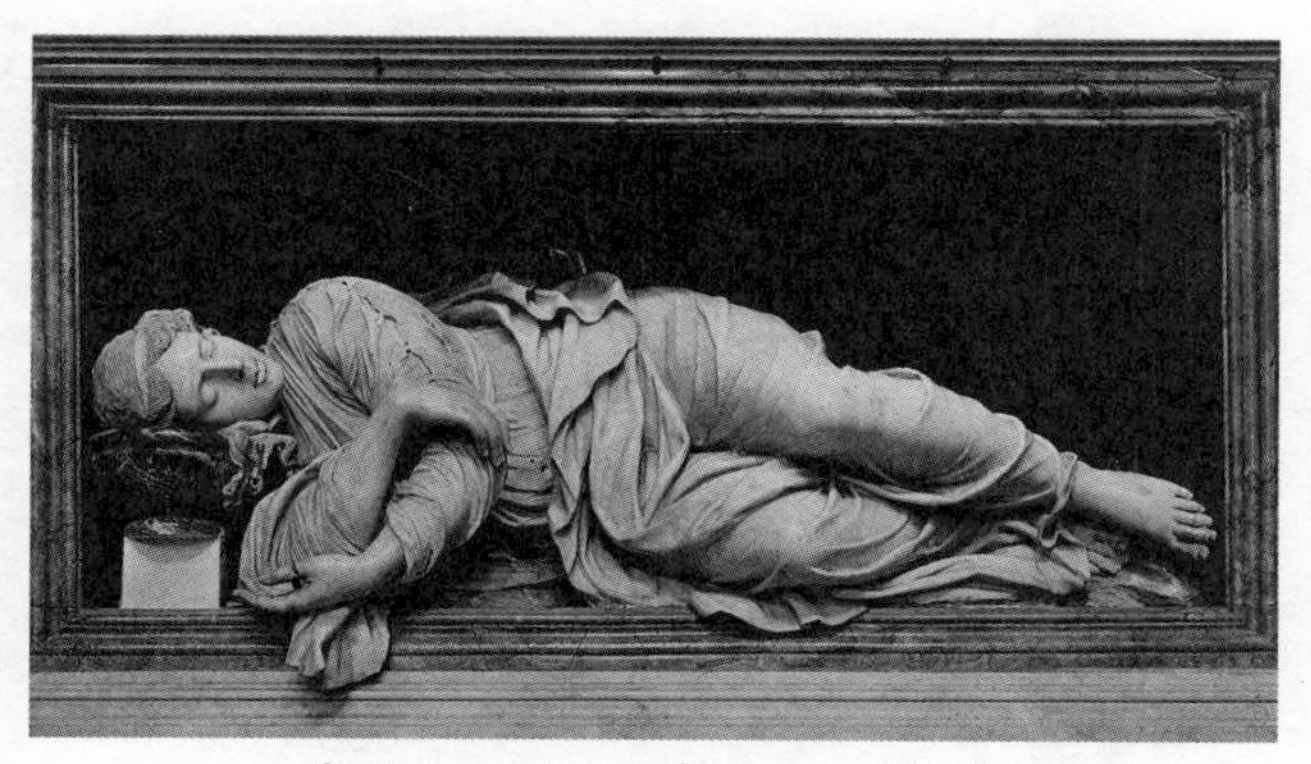

fig.64 ニッコロ・メンギーニ《聖マルティーナ》(1635)

かなバロックもあるのだ。フェルナンデスは、いみじくもこれを「発作を知らぬバロック、叫ばぬ歌姫」と呼んでいる。

ルドヴィカとチェチリアとアリアドネと、そしてマルティーナが、それぞれの意味を担いながら、共通性と差異性との微妙な組み合わせのうちにみずからの場所を得ていることは明らかだろう。これら四人の女性たちを結ぶ関係の編目のほぼ真ん中に、あの《ヴェールに包まれたキリスト》が位置する。それは、女性たちの肉体を覆う襞をいわば集約しながら、画面下のあのカプチン僧たちの骸骨姿を覆う屍衣と意味的に結びついている。

アリアドネとマルティーナの右上方の男性は誰だろうか。12番の番号を振った作品である。これは現在、ミュンヘンの彫刻美術館にある《眠るサテュロス》の像[fig.65]、もとは紀元前二世紀頃のものと推定される彫像だが、十七世紀初期にローマのパラッツォ・バルベリーニのコレクションに含まれていることが確認されているところから、《バルベリーニのファウヌス》(Fauno Barberini) とも呼ばれている作品である。一六二〇年にサンタンジェロ城の濠で発見されたもので、オリジナルからのコピー、ギリ

fig.65《眠るサテュロス》

シアのサテュロスのローマ版のファウヌスである。しかも左腕も脚もなかった彫像の断片は、ベルニーニやその弟子ジュゼッペ・ジョルジェッティらによって何度も修復されたらしい。ローマをバロック都市に変貌させたウルバヌス八世すなわちフィレンツェ出身のマッフェイ・バルベリーニと、バロック時代随一の建築家にして彫刻家ベルニーニとに関わるこの作品は、もと紀元前の古代彫刻であるとはいえ、要するにまぎれもないバロック彫刻なのだ。

性器をこれ見よがしにさらけだしながら両脚を大きく広げ、右腕をちょうどアリアドネのように頭の後ろに上げ、酔いのためかのけぞって失神しているかのような、頑丈な肉体をしたこの男のありようは、その妙に洗練された顔ともども、ミケランジェロのあの《奴隷》を髣髴させずにはいない。ギリシア彫刻は、はるかにバロック芸術と通底する。というよりむしろ、ドールスの示唆するように、古代にすでにバロック芸術があり、ギリシア・バロックがあったのだ。その姿勢によって韻を踏んでいるかのようにアリアドネと対をなすファウヌスは、またその官能性ゆえに左上方のルドヴィカに呼応する。しかし男の肉体は、襞に覆われることがない。

パラッツォ・バルベリーニは、もともとスフォルツァ家の敷地をバルベリーニ家が買い取り、ウルバヌス八世の命で建設されたものである。当初建設にあたったカルロ・マデルノが一六二九年に死去し、その後ベルニーニとマデルノの親類にあたるフランチェスコ・ボッロミーニ（一五九九―一六六七）とがあとを引き継いだ。一六三四年にボッロミーニはサン・カルロ・アッレ・クアットロ・フォンターネ教会造営の仕事にかかるため手を引き、装飾と残りの建設作業はベルニーニに

fig.66 カラヴァッジョ《ホロフェルネスの首を斬るユーディット》

fig.67 カラヴァッジョ《ナルキッソス》

fig.68 ピエトロ・ダ・コルトーナ《神の摂理の勝利》

よって一六三八年に完了を見た。マデルノの設計による工事はかなり進んでいたので、ベルニーニの手がどれほど入っているかは正確に確かめられないが、少なくともファサードは彼の手になるものと見てよさそうである。いずれにせよ、バロック期を代表する二人の建築家がほんの数年とはいえ共同で仕事をしていたという事実はまことに興味深い。

このパラッツォが現在は国立古典絵画館になっていることは人も知るとおりである。ここにはカラヴァッジョの《ホロフェルネスの首を斬るユーディット》[fig.66]と《ナルキッソス》[fig.67]の二点が収められ、二階の大サロンの天井がピエトロ・ダ・コルトーナのフレスコ画《神の摂理の勝利》[fig.68]で飾られている。映画『ローマの休日』で、アン王女が滞在する某国大使館として使われたのもここである。

ベルニーニとボッロミーニ

ボッロミーニは、いまクイリナーレ通りとクアットロ・フォンターネ通りの交差する四辻の四つの噴水の角に建つサン・カルロ・アッレ・クアットロ・フォンターネ教会[fig.69]の造営を一六三四年に依頼されて請け負うことになった。三十五歳にして初めての独立の仕事である。カルロ・マデルノの死後、サン・ピエトロ大聖堂の主任建築家の地位を得て帝王のように時代を支配するベルニーニに使われることには我慢がならなかったとも伝えられる。工事は一六三八年に始められたが、資金難などの紆余曲折を経て、内部とファサードを手がけたところで一六六七年八月二日にボッロミーニは六十八歳で死去した。

晩年は重い憂鬱症で、激情に駆られ発作的に剣の切っ先の上にみずから倒れかかって胸板から背中へと突き通したという。衝動的な自殺である。このあたりの事情は、R&M・ウィットカウアー『土星のもとに生まれて　数奇な芸術家たち』（一九六三年）に詳しい。ち

fig.69 ボッロミーニ：サン・カルロ・アッレ・クアットロ・フォンターネ教会ファサード

なみに、ボッロミーニより百年ほど前、一五四〇年にはロッソ・フィオレンティーノが自殺している。ウィットカウアーによれば、これは「美術史の文献で報じられた最初の自殺」であるが、「美術史の文献」とはほかならぬジョルジョ・ヴァザーリの『画家・彫刻家・建築家列伝』（一五五〇年）であって、その記述がどこまで事実に即しているか確言できない。赤髪のフィレンツェ人たるゆえにロッソ・フィオレンティーノと呼ばれたジョヴァンニ・バッティスタはフランスのフランソワ一世の庇護のもとフォンテーヌブロー宮の大画廊の装飾に携わったが、金銭上のトラブルから告発され毒薬を飲んで自殺したという。いずれにせよ、ボッロミーニの自殺は、十六世紀以降の自殺者の系譜上に位置する特筆すべき出来事ではある。

ボッロミーニの死後、工事は彼の血縁にあたるベルナルドによって続けられ、ようやく一六七五年に完成を見た。波のようにうねった凹凸のあるそのファサードは、ヴィンケルマン以来、バロック建築に対してしばしば用いられるようになったとおぼしい「ビザール」という形容にまさしくふさわしい異様な存在感を醸している。しかしなんといっても楕円形のクーポラ［fig.70］の眩暈的な美しさこそが、この小建築の真骨頂であろう。コペルニクスあるいはなによりもケプラーの地動説と楕円軌道説がバロックの動的世界観の背景にあるとは、しばしば指摘されるところだが、ボッロミーニによるこの幻想的なまでのクーポラはその端的な象徴である。

ボッロミーニが憂鬱症にかかった原因があるとすれば、そのひとつは、同じクイリナーレ通りのほど遠からぬ場所に、ほかならぬベルニーニがサンタンドレア・アル・クイリナーレ教会［fig.71］を

fig.70 サン・カルロ・アッレ・クアットロ・フォンターネ教会　楕円形のクーポラ ★

fig.71 ベルニーニ:サンタンドレア・アル・クイリナーレ教会ファサード

造り始めたことと関係があるかもしれない。ベルニーニは一六五八年に建設を開始しているから、ボッロミーニの教会建設と明らかにかぶるわけである。サンタンドレア・アル・クイリナーレ教会は一六七一年に完成を見た。ボッロミーニの死の四年後である。

ベルニーニみずから「代表作」と称するこの教会は、これも小規模で奥行きよりも横幅の広

fig.72 サンタンドレア・アル・クイリナーレ教会　楕円形のクーポラ

い異色の造りになっているが、ボッロミーニに比べればそのファサードからしてやや古典的に見えなくもないもののバロック的壮麗に満ちた内部空間を現出している。ここにも天井に楕円形の見事なクーポラ[fig.72]が施されている。ボッロミーニのそれとおのずから比較対照することになるのは避けられないだろう。

かたや時代を支配しつつバロック・ローマを現出しておのれの人生を全うしたベルニーニ、かたやそのベルニーニをつねに意識し彼に対抗するようにあくまでも「ビザール」な意匠を創意し実現しようとしながら不如意な人生を余儀なくされて「自殺」に至ったとおぼしいボッロミーニ。二人の代表的バロック芸術家の対照は際立っている。

ボッロミーニは、しかし、彼ならではの特異な建築意匠をほかにもいくつか実現している。

fig.73 ボッロミーニ：サンティーヴォ・アッラ・サピエンツォ教会 ★

そのひとつが、一六四二年から一六六〇年にかけて手がけたサンティーヴォ・アッラ・サピエンツァ教会[fig.73]だ。中庭から仰ぎ見ることのできるその螺旋形の塔は、精細巧緻な装飾を施され、バベルの塔を彷彿とさせもする異様な存在感をたたえている。

この教会のちょうど真裏に当たる場所に、ナヴォーナ広場に面してサンタニェーゼ・イン・アゴーネ教会[fig.74]が建っている。紀元三世紀に聖アグネスが処刑された場所に八世紀に建てられたと伝えられるが、その後、一六五二年にインノケンティウス十世が再建を図り、ジローラモ・ライナルディに、次いで一年後にボッロミーニに依頼した。中央部が内側に湾曲し円柱で飾られたファサード、高いクーポラ、左右の鐘楼は、まぎれもなくボッロミーニならではのものである。ボッロミーニは、この仕事をサン・カルロ・アッレ・クアットロ・フォンターネ教会と並行して手がけていたことになる。

この教会の真ん前にほかならぬベルニーニ設計による巨大な《四大河の噴水》[fig.75]がある。アフリカのナイル、アジアのガンジス、ヨーロッパのドナウ、そして新大陸南アメリカのラプラタの四つの河を表す寓意像が、ローマ時代の巨大なオベリスクを中心に据えた岩盤を取り囲むように乗っている。これらの像自体はそれぞれ別の彫刻家によって彫られたものだが、いずれにせよキリスト教の世界支配を高らかに宣言するモニュメントで、これもインノケンティウス十世の命による。ところが、ラプラタの像がのけぞりながら左腕を高く持ち上げ、あたかも眼前の教会が倒れかかりそうになるのを防いでいるようなポーズをとっており、またナイルの像が教会のファサードは見たくないとばかりに手で顔を覆っているのは、ボッロミーニを忌避するベルニーニの指示によるものだとのまことしやかな風説が流布したことがある。

fig.74 ボッロミーニ：サンタニェーゼ・イン・アゴーネ教会 ★

fig.75 ベルニーニ《四大河の噴水》★

しかし《四大河の噴水》が完成したのは一六五一年、インノケンティウス十世が教会再建に乗り出す直前であるのだから、この風説はあくまでも風説にとどまる。いかにも二人の関係を象徴するようで、そう考えると面白いというだけの話である。ちなみに、ナイルが目隠ししているのは、その水源が明らかではないがゆえと説明されている。いずれにせよ、時代に君臨したと言ってもいいベルニーニがボッロミーニに対してそんな姑息な態度をとるはずもあるまい。

　もっとも、サン・ピエトロ大聖堂の正面右側、コンスタンティヌス帝騎馬像を前にしたところにある階段スカラ・レジア[fig.76]は、ベルニーニの設計によって一六六三年から一六六六年にかけて建設

fig.76 ベルニーニ《スカラ・レジア》(1663-66)

fig.77 ボッロミーニ:パラッツォ・スパーダの柱列 (1652-53) ★

されたものだが、そのだまし絵的遠近法の意匠は明らかにボッロミーニによるパラッツォ・スパーダの柱列［fig.77］から援用していると言うべきだろう。奥に行くにしたがって柱が低くなり、両側の柱列間の距離も狭まって、実際の長さは九メートルほどしかないのに、はるかに長く、少なくとも四倍ほど長く奥まって見える偽装である。ボッロミーニはこれを一六五二年から一六五三年にかけて建設しているから、ベルニーニより十年先駆しているわけである。階段の両側の列柱の間隔が上に行くほど狭くなるので実際よりはるかに長く見えるスカラ・レジアは、大聖堂の入り口としてのみならず、また儀式の際に教皇が降りてくる階段としても用いられているようだ。ボッロミーニの創案した、幻覚（イリュージョン）と戯れるビザールな意匠は、こうしてはからずもヴァティカンの内部に入りこんだとも言えるわけである。

バロキスム宣言

《ローマの眠り》に戻ろう。

画面右側の彫刻群のうち、《ファウヌス》の下に横たわる番号13を振った断片は、番号6と同じ《エリーニ・ルドヴィジの頭部》である。ただし今度はエリーニはこちら側、画面手前の観者のほうに顔を向けている。

番号14の断片も番号4と同じ《瀕死のペルシア人の頭部》である。頭部の角度がやや違って少し

fig.78 ジュゼッペ・ジョルジェッティ《聖セバスティアーノ》(1672頃)★

立ち上がったように置かれている。

番号15の像は、一見、番号10の《眠るアリアドネ》の上半身の部分が覗いているようだが、しかし注意深く見れば、右腕の恰好は同一だが、垂れた髪、左腕の形、そして両の乳房の表現が明らかに異なる。これはおそらく《眠るアリアドネ》のフィレンツェ・ヴァージョンから想を得て左腕の位置を改変したものに相違あるまい。

クレリチは、画面右側のこれら三つの彫刻の表象において画面左側の断片群との反復と差異の戯れを試み、画面をいわば左右から挟撃しているわけである。

これら三つの断片群の下、というよりむしろ《ファウヌス》の真下、画面右下に横たわる二つの裸体のうち、16の番号を振った、右手を胸の上に置いた仰向けの男の像は、ジュゼッペ・ジョルジェッティ(一六八二死去)が一六七二年頃に制作した《聖セバスティアーノ》(San Sebastiano)[fig.78]をあらわしている。ジョルジェッティは、ベルニーニの弟子として《ファウヌス》の修復にも携わっていたのだった。

セバスティアーノ（セバスティアヌス）は、伝えられるところでは、紀元三世紀、ディオクレティアヌス帝の目にとまり、親衛兵第一隊隊長に任命されながら、熱心なキリスト教徒であることが発覚して弓矢で射殺されることになった。処刑後、息絶えたものとして放置された彼は、信女イレーネによってまだ息のあることを発見され、手厚い介護を受けて蘇生するものの、再び皇帝の前に立ち現れ弾劾したので、今度は棍棒で撲殺され、屍は下水溝に投げ込まれた。

ガブリエレ・ダンヌンツィオの『聖セバスチャンの殉教』（一九一一年）の邦訳本（美術出版社、一九六六年）の「あとがき」に、この戯曲の翻訳にフランス文学者池田弘太郎とともに携わった三島由紀夫は見事にこう要約している。

この若き親衛隊長は、キリスト教徒としてローマ軍によって殺され、ローマ軍人としてキリスト教徒によって殺された。彼はあたかも、キリスト教内部において死刑に処せられることに決まっていた最後の古代世界の美、その青春、その肉体、その官能性を代表していたのだった。

聖セバスティアーノ門を起点とするアッピア街道上の聖セバスティアーノ聖堂、大規模な地下墓地（カタコンベ）を伴ったこの立派な聖堂に収められた彫像には、もともと左腕と右脇腹と左腿と右腿の四箇所に矢が刺さっていたのだが、これら四本の矢は抜けるようになっており、実際かつてそこで私がこの彫像を見たときには三本だったことが、撮った写真から確認できる。さまざま写真においても矢の数は一定しない。管理者の恣意に任されているのだろうか。クレリチは矢の刺さっていないセバスティアーノの姿を描いているわけである。左上方のルドヴィカに呼応するように同じく右手を胸に当てて顔をのけぞらせた彼は、苦痛と恍惚の極みに失神しているように見える。背景の物語を忘れさせるほどに、着衣と裸体の対照性のままに、これはルドヴィカの男性版として現象しているのだ。

その下に俯せになっているのは、17番、《眠るヘルマフロディトス》(l'Ermafrodito dormiente)[fig.79]である。紀元前二世紀ヘレニズム時代のものと思われる原作のローマ版コピーが一六〇八年に発掘されて、ベルニーニによって修復され、特別に彫られた大理石のマットレス上に乗せられた像(一六二〇年)は、パリのルーヴル美術館[fig.80]に収められ、そのヴァージョンがローマのヴィラ・ボルゲーゼ美術館にある。クレリチは後者を表象しているとおぼしい。

ヘルメスとアフロディテの間の子であるヘルマフロディトスは、乳房を有する美青年とも、男根を有する美女とも伝えられるが、いずれにせよ男女両性を備えた存在である。

fig.79《眠るヘルマフロディトス》(ボルケーゼ美術館)

ヴィラ・ボルゲーゼのヘルマフロディトスは、観者の側に背中を向けて横たわったまま前面を見せないように置かれているので、それが両性具有者であるか否かにわかには判断し難い。異様な存在感を示すその背中が少年のもののようにも感じられながら、しかもわずかに乳房が垣間見えるので、いっそう注意深い眼差しが要求されるだけである。

フェルナンデスは、ちょうどチェチリアと反対に背中を見せながら顔をこちら側に向けているヘルマフロディトスの姿に、ただ聞くだけでなく見たがってもいる存在を、つまりバロック趣味によるオペラの容認を象徴する存在を見てとっている。チェチリアとヘルマフロディトスが、フェルナンデスの言うようにオペラをそれほど意識していたかどうかははなはだ疑問だが、というよりいささか強引な牽強付会だと思わざるをえないが、ここで明らかなのは、少なくともクレリチが、チェチリアとマルティーナとを、ともに身体を正面に向けながら、一方は顔をそむけ、他方が顔を見せるというふうに、同一性と差異性の戯れの関係のうちに結びつけているのと同様に、チェチリアとヘルマフロディトスとを両者の対照性によって関係づけているということである。

fig.80《眠るヘルマフロディトス》（ルーブル美術館）

《ローマの眠り》のなかの主要な彫像たちは、こうしてすべて微妙にして緊密な関係性のもとに位置づけられることになる。フェルナンデスは、またヘルマフロディトスの両性具有性のうちに、生と死の境界を超え、そして女と男を愛したあのオルフェウスの二重性を重ねあわせているが、それはそれで否定すべくもないバロック的連想であるにせよ、少なくともクレリチのヘルマフロディトスは、表象された男たち女たちの苦痛と快楽、欲望と死、エロスとタナトスとを、その「反対物の一致（coincidentia oppositorum）」たる眠る肉体のうちにひとえに体現することによって、この画面全体を締めくくっていると言うべきである。左上方より斜めに射しこんだ光は、右下のヘルマフロディトスの俯せの姿態を照らすことで、その役割をまっとうするのである。

さて、このように見てくれれば、クレリチの絵においては、「古代の彫刻群が無造作に投げだされている」どころか、ギリシアから十八世紀に至る、そしてもちろん中心は十七世紀の彫刻群が、じつに周到に配置されて、比類のないバロックの風景の表象がもくろまれていることは明らかだろう。廃墟、断片、官能、苦痛、死、眠り、大理石、襞、光、闇、記憶、そして美、これらがバロック世界を構成する不可欠の要素である。クレリチの《ローマの眠り》は、「ローマ・バロック」と「トリエント公会議バロック」とを、ネオ・マニエリスム的ともネオ・バロック的とも言いうるシュルレアリスム的感性によって二重映しにした、いわば彼なりのバロキスム宣言にほかならなかったのだ。

バロックの概念を、ヴェルフリンが規定したように純粋に形式的なレヴェルに限定しうるならば、むしろ事は簡単である。線的―絵画的、平面的―深奥的、閉じられた形式―開かれた形式といった対立を個々の対象のうちに見てとることで、古典的（クラシック）なものとバロック的なものとの様式的二分法をいささか素朴に引き受けることができるからである。実際まさにそれゆえに、ヴェルフリン以降、バロック概念はその急速な拡大・敷衍を見ることにもなったわけである。ドールスのバロック論とて、ヴェルフリン的素地がなければ、もとより現れるべくもなかった。とはいえ、クレリチの《ローマの眠り》に端的にうかがわれるように、個々の形象を支えるローマ的なもの、カトリック的なものこそが、バロック世界の背景にあってしかもその「精神史」的本質をなすものであることは、やはり忘れられるべきではあるまい。

《ローマの眠り》は、実際、ひとつの特異な廃墟空間を表象している。廃墟空間であるがゆえに、あえて「万有浮力の法則」によるとは言わずとも、そこではすべての形象が空間的にも時間的にも共存可能になっている。廃墟をバロック的意匠として用いたこのクレリチの作品からいまや離れて、現実の廃墟世界を彷徨することにしよう。

IV

ピラネージのローマ

二〇〇六年四月から一年間、私は勤務先の大学からいわゆるサバティカルの休暇を貰って、ローマに滞在した。ローマのヴィラ・メディチにあるアカデミー・ド・フランスを拠点とするピラネージ研究という名目である。

パリ王立アカデミーのローマ分校、アカデミー・ド・フランスは、はじめコルソ通りのパラッツォ・マンチーニに置かれ、将来を嘱望されたフランスの若い画家、彫刻家、建築家たちが集った。ジョヴァンニ・バッティスタ・ピラネージ（一七二〇―七八）は、一七四四年にこのパラッツォの真向かいに店を構えた。

ヴェネツィア対岸の都市メストレ近郊のモリニャーノに生まれた彼だが、終生「ヴェネツィア出身の建築家」（アルキテット・ヴェネツィアーノ）と称しながら、実際に建築家として手がけたのは、テヴェレ川東部の七つの丘のひとつ、南のアヴェンティーノの丘に建てたサンタ・マリア・デル・プリオラート聖堂とその前に位置するマルタ騎士団広場の設計（一七六四―六六）だけだった。のちに触れるように、十一世紀にエルサレムで結成された聖ヨハネ騎士団は、ロードス島を経て、一五三〇年に神聖ローマ皇帝カール五世からマルタ島を譲渡されてマルタ騎士団と改称したが、一七九八年にナポレオンに同島が征服されて本拠地を失い、結局一八三四年にローマのこの地に本部を置いたのである。マルタ騎士団とピラネージ！　奇しき因縁を感じずにはいられない。

サンタ・マリア・デル・プリオラート聖堂に併設されるマルタ騎士団本部の館へと続くというブロンズの正面扉［fig.81］の鍵穴［fig.82］からは、これもピラネージの「奇想」により、遥かにサン・ピエトロ寺院のクーポラが望見できるというので私も覗いてみたが、じつのところ見えたような見えなかったような我ながらはっきりしない心もとない経験の記憶しか残っていない。いずれにせよ、その際鍵穴から撮った写真を挙げておこう。肝腎のピラネージ設計になるサンタ・マリア・デル・プリオラート聖堂は、治外法権の地のゆえに一年に一日だけの公開ということらしく、残念ながら未見のままである。

このような卓抜した建築の例外はあるものの、ピラネージはもっぱら銅版画家として身を立てるために、みずから考古学的なまでの観察眼によって制作した数多くの作品をくだんの店で販売した

fig.82 鍵穴から覗く ★

fig.81 マルタ騎士団本部の館へと続くブロンズの正面扉 ★

のである。

フランス人たちは、この店に足繁く出入りしてピラネージの版画を買い求めた。ピラネージは彼らと共同で『古代と近代のローマの様々な景観』（一七四五年）を出版しさえした。具体的にどのような作業分担をしたのか詳らかではないが、九十三枚で構成される全体のうちほぼ半数にピラネージの署名がある。古代ローマの景観が廃墟画で、近代ローマの景観が現に存在する建築を描いた建築絵画である。

これと同時期に、ピラネージは『牢獄の奇想的創作』を刊行している。これは一七六〇年頃に『空想の牢獄』とタイトルを改めて再版されることになるが、そこにはエドマンド・バークの崇高論を先取りするかのような、無限、暗黒、孤独、恐怖といった観念に満ちた驚くべき「牢獄」空間が表象されている。「牢獄のピラネージ」と言われるほどに、螺旋階段のモチーフを含むそうした建築幻想は、ロマン主義的な一つの淵源として建築家や画家たちにだけでなく、とりわけ小説家たちに大いに想を与えることになる。中世ゴシック風にストロベリー・ヒル・ハウスを改築し、『オトラント城』（一七六四年）を書いたホレス・ウォルポールや、ゴシック様式のフォントヒル僧院を建て、『ヴァテック』（一七八六年）を書いたウィリアム・ベックフォードなど、イギリスのゴシック・リヴァイヴァルにおいてピラネージの存在はまぎれもなくひとつの重要な契機となったとおぼしい。トマス・ド・クインシーの『阿片常用者の告白』（一八二二年）にも、同じく阿片に淫した詩人のS・T・コウルリッジからピラネージの話を吹き込まれ、その牢獄幻想にいたく心を動かされた話が出てくる。フランスにおける事情に関しては、ルツィウス・ケラーの『ピラネージとフランス・ロマン派』（一九六六年）に詳らかであるし、あるいは武末祐子『グロテスク・美のイメージ　ドムス・アウレア、ピラネージからフロベールまで』（二〇一八年）のような「グロテスク」概念を中心に据えた研究もあり、また「牢獄のピラネージ」に特化したマルグリット・ユルスナールの『ピラネージの黒い脳髄』（一九六一年）という卓抜なエッセイも邦訳されている。わが国では建築史家ならではの観点から『ローマ　バロックの劇場都市』（一九九三年）を書いた長尾重武による編著『ピラネージ《牢獄》論　描かれた幻想の迷宮』（二〇一五年）という極めつけの研究書が出ている。

　しかしこうした「牢獄」がもともと劇場のための舞台意匠、壮大な書割として構想されたという側面があるとすれば、ときに「狂人（パッツォ）」と呼ばれるほどのピラネージの異常さをとりたてて言挙げする必要はないかもしれない。そのバロック的というほかはない構想力、その「奇想（カプリッチョ）」ないし「空想（インヴェンツィオーネ）」が時代に先駆けて群を抜いていただけのことである。

　その彼が、一七五三年に自分の店をスペイン階段の上を通るフェリーチェ通り、バロック都市ローマの建設に着手した教皇シクストゥス五世（在位一五八五—九〇年）の本名フェリーチェ・ペレッティに因んで名づけられた通り（現・システィーナ通り）へと移し、いよいよ「牢獄のピラネージ」ならぬ「廃墟のピラネージ」の道を邁進することになる。いわば内部空間からひたすら外部空間へと、そのバロック的構想力を解放するわけである。一七七八年の死にいたるまで制作しつづけた『ローマの景観』が、彼のライフ・ワークである。アカデミー・ド・フランスが、この店からほど遠からぬピンチョの丘の上のヴィラ・メディチに移転したのは、一八〇三年のことである。ちなみにウィットカウアー『数奇な芸術家たち』は、イギリスの建築家たちによるピラネージの「うぬぼれ」、あるいは「狂暴異様」な様子を伝える言葉を引いているが、おそらくそれも彼の独立自尊の矜恃ゆえであったと考えたい。

fig.83 ヴィラ・メディチ（庭園側から見た）★

ピラネージについては、私はすでに『廃墟の美学』（二〇〇三年）のなかで一章を割いて論じており、資料の基本的なところはおおよそ押さえていた。特にフランス人との関係については、一九七六年にヴィラ・メディチ[fig.83]で開かれた大展覧会「ピラネージとフランス人　一七四〇—一七九〇」の大部のカタログに一目瞭然である。ちなみに、このカタログの序文は、当時館長をしていた画家のバルテュス、本名バルタザール・クロソウスキー・ド・ローラが書いている。

ヴィラ・メディチには文献資料の宝庫ともいうべき立派な図書館がある。そこに閉じこもって文献資料を読み漁るだけでも大変な作業だが、そうしたなかから研究の新たな

fig.84 ヴィラ・メディチの庭園 ★

視点が得られるかもしれない。とはいえ、資料の山に埋もれるのにいささか恐れをなした私は、この図書館のある建物からそっと庭園 [fig.84] へと出て、イタリア特有の笠松が青空を背景にくっきりと浮かび上がっている姿を眺めるほうが好きだった。日本の松のように幹がうねり枝が傾いているわけではない。垂直の幹の上に笠型の松の葉が雲のように乗っているのである。いかにも人工的に見えるが、下のほうの枝を払っているだけで、ほとんど人の手は入っていない。ちなみに和辻哲郎もまた、その『風土』(一九三五年)のなかで、イタリアの松について、「風の弱いことを明らかに示しているのは樹木の形である」として、すでに次のように述べている。

特に著しく目につくのは笠形の松と鉛筆形の糸杉とであった。円く饅頭笠式に整った松は、ただに公園においてのみならず、野原にも山の頂にも多数見られる。ただ下枝を払ったのみでそのほかに人工を加えない松が、枝を四方へ平等にひろげ、小枝を均等に繁茂させ、その正しい笠形を垂直の幹によってささえている。松と言えば幹に必ずうねりがあり、枝が必ず傾いているのを見慣れている我々には、このシンメトリーの形がいかにも人工的に見える。

実際、フィウミチーノ空港からローマ中心部（チェントロ）に向かう高速道路（アウトストラーダ）もすでに笠松の見事な並木道としてわれわれを迎えてくれるが、ヴィラ・メディチの庭園だけでなくボルゲーゼ公園なども笠松の群生によってなかなかに見事な「人工的」風情をたたえている。イタリアの作曲家オットリーノ・レスピーギに「ローマの松」（一五二四年）と題するすばらしい「交響詩」もあるが、いずれにせよローマの松はもとよりそれ自体「自然的」な姿なのであった。そして青い空を背景にしているからこそ笠松の佇まいも際立つのだ。緑は青によって、そして青は緑によって生かされている。

じつのところ図書館通いよりも、私はむしろピラネージが銅版画にした廃墟＝遺跡をすべて訪れてこの目で見たいと思っていた。それもイタリアならではの青い（azzurro）空の下で。こちらのほうこそが、「ピラネージ研究」の真の目的だったのである。

この目的には、もうひとつの目的というか願望が重ね合わされていた。イタリアにおけるマグナ・グラエキア（大ギリシア）、イタリア語ではマーニャ・グレーチアの跡をできるだけ辿ろうという願望である。私はそれまで何度もイタリアを旅しており、シチリアも一周してマグナ・グラエキアの最大の遺跡のひとつアグリジェントの神殿群を巡り、野外に横たわる（とはいえこれはレプリカで本物は考古学博物館に収められている）驚くべき巨人石像、じつはかつて神殿を支えていた柱の一部であったというおよそ八メートルの男像柱（テラモーネ）を目の当たりにし、またタオルミーナのギリシア劇場の廃墟からイオニア海や、あのエンペドクレスが火口に身を投げたというエトナ山を望見してはいる。シチリアの州都パレルモの十五キロほど東方、ソルント岬の手前に広がる高台の町バゲリーアにある「怪物屋敷」パラゴニア荘もつぶさに見て、これについて一文をものしたこともある。『ワールド・ミステリー・ツアー13［イタリア篇］』（一九九八年）所収の「お化け屋敷に怪物が群れる」である。これはのちに拙著『肉体の迷宮』（二〇〇九年）の一章「変身と怪物」を構成する重要部分にもなった。

シチリアにおけるマグナ・グラエキアの丹念な調査はひとつの課題だが、今回は南イタリアを廻ってみたいと思っていたのである。これには日本語で手軽に読める二冊の先駆的書物があった。ジョージ・ギッシングの『南イタリア周遊記』（一九〇一年）とグスタフ・ルネ・ホッケの『マグナ・グラエキア——ギリシア的南部イタリア遍歴』（一九六〇年）とである。前者は、ナポリから始まる一八九七年の一ヶ月ほどの旅をまとめたもので、原著は一九〇一年に出た。後者はホッケ自身の幾度にもわたる旅と滞在の経験を一人のドイツ人青年に仮託して小説形式で発表したもので、これは一九六〇年に刊行された。時代も叙述のスタイルも相当に隔たりがあるが、いずれにせよ私は彼らの顰みに倣って気ままに南イタリアを旅してみたいと漠然と考えていた。

ナヴォーナ広場の裏側、ゲーテが『イタリア紀行』のなかで「私の聖者」とまで呼んでいるオラトリオ会の創始者フィリッポ・ネリを祀るキエーザ・ヌウォーヴァ（新しい教会）のすぐそばのアパートに、私は友人の美術家の後を襲って居を据えた。アルベルト・モラヴィアの『ローマ物語』

fig.85 ピラネージ《ナヴォーナ広場の光景》（北側から）

fig.86 ピラネージ《ナヴォーナ広場の光景》（南側から）

かったのである。

（一九五四年）に登場するあの数々のローマ人たちのなかにまぎれこんだような気もしないではな

ちなみにナヴォーナ広場は、紀元八十六年、ドミティアヌス帝の時代に競技場として誕生した。競技場を意味する「アゴーネ」が、ナゴーネ、ナヴォーネ、そしてナヴォーナに変化したという。建物に隙間なく囲まれて南北に伸びる形状が、マリオ・プラーツ『ローマ百景I』（一九六七年）も言うように、まさに「戸外の大広間にいるような気分」にさせてくれる。ピラネージの作品を二点掲げておこう。北と南からの光景である[fig.85][fig.86]。

私のアパートはピエトロ・ダ・コルトーナがファサードを手がけたデッラ・パーチェ教会も近く、その前に拡がる小劇場的空間ともいうべき広場[fig.87]のカフェでコーヒーを飲むこともしばしばだったが、この教会にはラファエッロのすばらしいフレスコ画がある。盛期ルネサンスを代表する建築家ドナート・ブラマンテの設計になる付属する回廊では、なんとアンディ・

fig.87 デッラ・パーチェ教会前の小広場 ★

ウォーホル展も開かれたのだった。

また、魔術的生命的宇宙観を説き続けたあのジョルダーノ・ブルーノが一六〇〇年に生きながら火刑に処せられたというカンポ・デイ・フィオーリ広場も近く、花や野菜や果物を売る出店でいっぱいの広場の真ん中に立つ、フードを目深にかぶって陰惨なほどの存在感をたたえたその黒い銅像［fig.88］を見るために

fig.88 ジョルダーノ・ブルーノ像 ★

私はしばしば足を向けた。その『無限・宇宙と諸世界について』（一五八四年）において宇宙の無限性を説いた近代科学の先駆者というイメージがあるが、フランセス・イエイツ『ジョルダーノ・ブルーノとヘルメス教の伝統』（一九六四年）によれば、彼はヘルメティズム的理想に心を奪われていた正真正銘の魔術師であるという。実際、その銅像はいかにも魔術師にふさわしい。

こうして私は気の向くままにローマの街を巡り歩き、地図なしでほとんどどこへでも行けるようになった。もとよりフォロ・ロマーノやパンテオンやコロッセオやヴァティカンは言うに及ばず数々のピラネージの「ローマ」も、おおよそ見たと言っていいと思う。

ピラネージの版画と、その対象となった廃墟＝遺跡の現実の印象とは、もとよりだいぶ違う。一七五五年に『ギリシア美術模倣論』を出版し、同年末にアルキント枢機卿の図書顧問としてローマ

に到着、その三年後に教皇クレメンス十一世の甥であるアルバーニ枢機卿の図書顧問になり、さらに一七六三年にヴァティカンの教皇庁古物監督官に任命された異国ドイツのヴィンケルマンは、ひたすらギリシアを称揚しながらローマ美術の独創性などまったく認めようとしなかった。たとえば彼は『ギリシア美術模倣論』の冒頭にこう書いている。「日に増し世界に弘まって行く良き趣味はもとギリシアの蒼空の下に形を成し始めたものである。他の民族の創意になるものは凡て謂はばただ最初の胚珠としてギリシアの地に来りここで全く別の性質と形体とを取った」と。「気品ある単純と静穏なる威厳（Edle Einfalt und stille Grösse）」、この言葉が端的にギリシアを象徴するというわけだ。

これに反撥したピラネージは、ヴィンケルマンの言う古代ギリシアの「単純」（Einfalt）に古代ローマの「偉大＝壮麗」（magnificenza）で対抗しようとした。あの数々の「牢獄」もまたすでに驚くべき「壮麗」な表象ではあったが、一七六一年に『ローマの壮麗と建築』と題する版画集を刊行していた彼は、みずからの版画作品こそがその具体的証左であるかのように古代ローマの廃墟＝遺跡の再現表象に生涯をかけた。だからそこに表象された対象はみな幻想的なまでにスケールが大きく立派なのである。

廃墟行脚——あるいはマグナ・グラエキアの見果てぬ夢

結局、私はマグナ・グラエキアの見果てぬ夢に誘われて、この一年の間に三度南へ旅をした。いつもながらいっさい予約なしの自由気ままな旅である。一度目は、ローマからまず電車でアドリア海に面したバーリに行き、そこからアルベルベッロ、マテーラ、ターラント、ブリンディシ、レッチェを巡った。

バーリは、中世には十字軍がここから船出したという南イタリアの玄関口ともいうべき港町である。対岸のクロアチアのドゥブロヴニクにも船が出ている。ユーゴスラヴィアが分裂してクロアチアが独立する前に、私はローマから飛行機でドゥブロヴニクに行ったことがある。当時、私は大学の助手をしていたが、そこで開かれた国際美学会なるものに初めて出席したのだ。チトー大統領が死去したばかりのときで、ソ連が攻めて来るかもしれないという噂が絶えず、たまたま入ったレストランのボーイは、もしソ連軍がやってきたら銃を持って戦うと話していた。その後、ユーゴスラヴィアは、周知のように、一九九一年のソ連崩壊とともに激しい内戦を経てクロアチアを含む複数の国に分裂したわけである。アドリア海の真珠とも言われるドゥブロヴニクに来るにはローマからの航空便以外にもバーリからの船便もあるということを、私は他大学の助手の知人みずからの実践によってそのとき教えられた。つまり彼はバーリから船で八時間もかけてドゥブロヴニクに到着したのである。そんな来方もあるのかと私は驚き感心したものだった。その数十年後、私はバーリにやって来た。ロマネスク様式のサン・ニコラ教会、サン・グレゴリオ教会、十一世紀に建てられた堂々たるカテドラーレや城、美術館や博物館などをひととおり巡りながら、私は時の経過にいささか思いを致したのだった。

アルベルベッロは、真っ白な壁と灰色の円錐形の屋根を持つトゥルッリと呼ばれる建物［fig.89］がびっしりと蝟集する旧市街で有名である。同じ世界遺産として、この町は日本の白川郷と姉妹都市の関係にあるらしいことを、私はたまたま覗いたお土産屋の老婦人から聞かされた。たしかに急勾配の屋根を持つ建物によって構成されているという点で、二つのかけ離れた場所の風情は似ていなくもない。一人でやって来る日本人が珍しいと見え、日本で彼女が雑誌に掲載された記念写真などを見せられたりして是非泊まっていけとまで言われたが、固辞して早々に退散し、大急ぎで街を経巡った私は、そのままマテーラに向かった。

マテーラは、パゾリーニの映画『奇跡の丘』（一九六四年）の舞台ともなった、サッシと呼ばれる洞窟住居のひしめく異様な町である［fig.90］。盆地になった斜面全体を穿つように黄土色の建物がびっしりと蝟集しているのだ。観光客はみなこのすり鉢状の盆地を見下ろすように上の道路から眺めているだけなのだが、私はほとんど人のいない盆地に降りて、一匹の野良犬（？）にずっとあとをつけられながらつぶさに見て歩いた。いまではユネスコ世界遺産ともなり、こうした洞窟住居を

fig.89 アルベルベッロのトゥルッリ ★

fig.90 マテーラの眺望 ★

別荘とする人士もいるらしいが、全体は言うなれば立体的な砂漠都市といった印象である。

マテーラのホテルを出て次のターラントに行こうとしたら、鉄道の駅が閉まっている。日曜日は電車は来ないというわけである。またあらかじめの調査不足に祟られたわけだ。いまさら重い鞄を持ってホテルに戻る気にもなれない。駅前広場に一台のタクシーを見つけて交渉し、数時間かけてようやくターラントに到着することができた。おかげで南イタリアの悠揚たる風景を車中から楽しむ機会を得たが、およそこんな調子で、南はみずから車を運転してでもなければとても十分に周ることはできない。長靴形をしたイタリア半島の「踵(かかと)」に位置するターラントには、マグナ・グラエキアに関係する発掘品が数多く収蔵された国立考古学博物館があるが、しかし町そのものにいま大ギリシアの面影を見いだすことは難しい。

アドリア海に面したブリンディシは、ローマ帝国時代から地中海の要衝として栄えた港湾都市である。古名をブリンディシウムという。ここから海路ギリシアへ向かうこともできる。ウェルギリウスが『アエネーイス』の草稿を抱え、ギリシアから紀元前十九年に帰還したのもこのブリンディシウムだった。彼は『アエネーイス』の推敲のために三年間小アジアとギリシアに滞在し、そこで東方からローマへ戻る初代ローマ皇帝アウグストゥスにめぐりあい、その船団とともにこの港に到着したのだが、そのときすでに熱病のために瀕死の状態だった。わずか数日の命だったという。エルンスト・ブロッホの『ウェルギリウスの死』(一九四五年)は、ブリンディシウムで草稿のあしらいを気にしながら死を目前にしたウェルギリウスの「内的独白」からなる驚くべき長篇小説である。

ひととおり街を巡った私の頭にここからギリシアへ行ってしまおうかとの思いが一瞬よぎったが、やはり懸案のレッチェに向かうことにした。

ブリンディシよりさらに南のレッチェは、マリオ・プラーツの『官能の庭』所収の一文「レッチェのバロック」によって興味をかきたてられていた都市である。「レッチェはいまだ中世的構造をとどめる町である。まっすぐな道はひとつもなく、広場はどれも不規則で、中心街の通りはくねくねと曲っている」、とプラーツは書いている。そうした道を歩きながら、私はすばらしい薔薇窓のあるサンタ・クローチェ聖堂[fig.91]、サンティレーネ教会やサン・マッテオ教会のファサードといった、まさに南部的バロック的というほかはない建築意匠を確認したのだった。

fig.91 レッチェのサンタ・クローチェ聖堂 ★

レッチェを駆け足で巡ったあと、いささか疲れた私はブリンディシに戻り、そこから半島の「爪先(つまさき)」、ギッシングの『南イタリア周遊記』ではそここそが主たる舞台のひとつとなっている「爪先」のほうまで下りる気力もなく、直接空港でローマ行きの便の切符を手に入れてアパートに帰ったのだった。

『イタリア紀行』のゲーテを真似て、ナポリからシチリアのパレルモまで船で渡ったこともある。以前はローマからパレルモまで飛行機で行ったのだったが。一七八七年三月二十九日、ゲーテを乗せてナポリを出航した船は、嵐のため四日も要して、パレルモに到着したのは四月二日だった。私の船は、夕方ナポリを出航し、翌朝にはパレルモに着いていた。

パレルモの旧市街の中心はクアットロ・カンティ（四つ辻）である。十七世紀にスペイン総督によりバロック都市計画の一貫として造られた。そのそばにあるプレトリア広場の噴水を取り囲む石壁には壁龕（へきがん）が一列に並び、そこから馬、獅子、駱駝、象といった白大理石造りの動物たちが顔をのぞかせている。ゲーテはこれを「動物園」と呼んでいる。これは、フィレンツェ出身の彫刻家フランチェスコ・カミリアーニによって一五五〇年代に完成され、のちに息子のカミッロによって設置されたものである。パレルモにはマルトラーナ教会、サン・カタルド教会、ジェズ教会、ノルマン王宮付属パラティーナ礼拝堂、あるいは州立美術館やマッシモ劇場など、訪れるべき場所が山ほどある。

パレルモの町を堪能した私は、今回はシチリア巡りはやめて、アフリカのチュニジアに行こうと思い立った。首都チュニスの隣にあるカルタゴの廃墟を見たかったのである。ローマ帝国と三度にわたって戦い、滅亡した都市である。パレルモから電車で数時間、シチリア西端の港町トラーパニに到着した私は、そこでチュニス行きの切符を手に入れるのに二日も要してしまったけれど、ともかくも一晩の地中海の船旅で早朝のチュニスに渡ることができた。初めてのアフリカである。フランスの植民地だったので、ここではフランス語が通じる。

チュニスからカルタゴまでは電車で行けるが、間にサラムボーという名の駅があるのには驚いた。古代カルタゴを舞台とするギュスターヴ・フローベールの歴史小説『サラムボー』（一八六二年）でおなじみの巫女めいた主人公の名前で、カルタゴの将軍の娘ということになっているが、小説家による虚構である。フランスの植民地だったチュニジアならではの、観光客を意識した駅名というほかはない。地中海の覇権を賭けて紀元前に行なわれた三度のポエニ戦争（ちなみにポエニとはカルタゴの系譜的前身フェニキアを指すラテン語である）によってカルタゴは壊滅したが、その後ローマの植民市となって復興し、次々に巨大建造物が造られて、ローマ帝国のなかでも屈指の大都市に成長したという。七世紀頃のアラブの侵入を機に没落し、再び廃墟化した。それゆえ、いまわれわれが目にすることのできるカルタゴの廃墟[fig.92]は、元のフェニキア＝カルタゴの廃墟ではなく、あくまでもローマ帝国のカルタゴの廃墟であるわけだ。実際、廃墟群はいま見事に整備されていて、まるで巨大な公園で遊んでいるような気分にさせてくれる。これは、まぎれもなくローマ文明圏の遺産である。

チュニスから私はマルタ島へ飛んだ。チュニスの街を歩いていたら航空会社の事務所が目に止まり、突然マルタへ行こうと決意したのである。シチリアのすぐ南に位置しながら、人々はまるでアラブ圏の言葉のように聞こえるマルタ語を話している。意外にもイタリア語よりも英語が一般的に通じるようだ。十九世紀にイギリスの植民地になり、しかも一九六四年の独立後も英連邦に加盟しているためであるらしい。港と海の織りなす異様に迫力のある景色を見せる島である[fig.93]。

fig.92 カルタゴの廃墟 ★

fig.93 マルタ島　港と海の織りなす景色 ★

首都ヴァレッタは聖ヨハネ騎士団、通称マルタ騎士団の街ともいうべきところである。聖ヨハネ騎士団は、聖地巡礼者を保護し傷病者を治療するためにエルサレムに十一世紀に創設されたが、のちにこの地がイスラムの手に落ちたとき、ロードス島へ、そしてさらにマルタ島へと移った。一五三〇年のことである。「エルサレムのマルタ」という表現すら用いられた。マルタの騎士は戦う修道士でもあり、同時に病者の世話をする「救護騎士団」をも形成していた。戦う相手は、もとよりイスラム勢力、具体的にはオスマン・トルコだった。一五六五年にはオスマン・トルコ軍に包囲されたが、数ヶ月間の攻囲戦になんとか耐えた。

ここは、一六〇六年五月二十九日にローマでゲームのもつれからひとりの男を刺殺した画家ミケランジェロ・メリジ・ダ・カラヴァッジョ（一五七三―一六一〇）の逃避先のひとつでもあった。いまではバロック絵画の祖と位置づけられる彼だが、南イタリアを放浪したあと、ナポリからマルタのガレー船に乗ってこの島に渡ってきたのである。上陸は一六〇七年七月十二日と推測されている。カラヴァッジョはどうやら初め見習い修道士として生活したらしいが、この稀有な芸術家への敬意はやはり否みがたく、とりわけ騎士団長フラ・アロフ・ド・ヴィニャクールの厚い庇護のもと、カラヴァッジョは早くも翌年には正式に「マルタの騎士」に任ぜられた。その彼の描いた二点の大作をヴァレッタの聖ヨハネ大聖堂美術館で見ることができる。《聖ヨハネの斬首》[fig.94]と《聖ヒエロニムス》[fig.95]（ともに一六〇八年）だ。

「斬首」はカラヴァッジョならではのテーマで、殺人を犯した彼のいかにも自己処罰の欲求に対応しているかのように思われるが、しかしじつのところ彼の首斬りの絵は、フィレンツェのウフィツィ美術館にある《メドゥーサ》(一五九七年頃)はもとより、ローマの国立古典絵画館にある《ホロフェルネスの首を斬るユーディット》(一五九九年)にしても、すでにこの殺人事件以前に描かれているのだ。だから仮にそこに自己処罰の要素があったとしても、それは現実の事件とは関わりをもたぬいわば生得のものだったというほかはない。《聖ヨハネの斬首》以外には、斬られたゴリアテの首を(あるいはひょっとしたら少年ダヴィデをも)自画像に擬したらしい《ゴリアテの首を持つダヴィデ》(ボルゲーゼ美術館)[fig.96]が、事件後に及ぶ制作(一六〇五―一六〇六年頃)と推測されている。カラヴァッジョにおける斬首の問題については、拙著『肉体の迷宮』(二〇〇九年)第五章「寸断された身体――鏡像と画像」において詳論しているので、ここでは触れるだけにとどめる。

いずれにせよ、ヴァレッタの二点の作品は、マルタ騎士団そのものの比類のない顕彰として騎士団長に衝撃を与え喜ばせたらしい。

ところが騎士団長の寵愛を突如として失わせる事件が起きた。騎士団のある高位の人物と口論になってカラヴァッジョはこの人物に重傷を負わせ、直ちに逮捕され牢獄に引き立てられたのである。牢獄は、石灰岩を井戸のように荒削りして造られた「鳥籠(グーヴァ)」と呼ばれる地下牢だったが、ところが数日後にはカラヴァッジョは脱獄して海へ逃げた。舟も用意されていたらしく、その脱獄の手際の良さに騎士団長の密かな計らいがあったのではないかとも推測されているが、真偽のほどはわからない。いずれにせよ、ここからカラヴァッジョの最後の逃避行が開始されるわけである。

fig.94 カラヴァッジョ《聖ヨハネの斬首》（1608）

fig.95 カラヴァッジョ《聖ヒエロニムス》（1608）

fig.96 カラヴァッジョ《ゴリアテの首を持つダヴィデ》

この島にはギリシアともローマとも関係のない、どころか両文明よりはるかに古い、紀元前三千年頃に建てられたという神殿の遺跡がいくつかある。豊饒の女神の像も立っている。全島がまさに巨石記念物［fig.97］といった様相である。マルタこそが地中海文明の淵源だというのがこの島の主張である。古代文明の不思議さに思いを馳せながら、私は空路ローマへ戻った。

ピラネージに関係するのは、もうひとつの南への旅においてである。ナポリを中心に、私はポンペイ、エルコラーノ（ヘルクラネウム）、そしてパエストゥム（ポセイドニア）の遺跡を巡った。ポンペイの遺跡を訪れるのはこれで三度目になるが、そのポンペイとエルコラーノを紀元七十九年に壊滅させたヴェスヴィオ火山にも登った。登ったといっても、エルコラーノの遺跡を見たあと、最寄りの駅あたりまで戻って来たところで拾った（拾われたというべきか）タクシーで七合目か八合目あたりまで行けたのだが。乗合バスもあったが、あえてタクシーを選んだのだ。アンデルセンの『即興詩人』（一八三五年）によれば、語り手の主人公アントーニオを乗せた馬車がやはりこのあたりの高さまで運んでくれている。しかも

fig.97 マルタの巨石群 ★

当時ヴェスヴィオはまだ噴煙を上げ溶岩を噴出してさえいたようだが、しかしいまはすっかり休火山の態である。ポンペイからはヴェスヴィオ山を遥かに望むことができる[fig.98]が、ヴェスヴィオ山のいただきに据えられた望遠鏡をいくら覗いても、ペンペイの姿をしかととらえることはできなかった。

fig.98 ポンペイよりヴェスヴィオ山を遥かに望む ★

ところで、まことに唐突に思われようが、中里介山の『大菩薩峠』においてもこのヴェスヴィオについて言及されていることに触れておきたい。『大菩薩峠』は一九一三年から一九四一年にかけて書き継がれた世界最長の小説のひとつである。萩原朔太郎に「日本で書かれた小説の中、最も孤独な人物」と言わしめた、ニヒルな剣士・机竜之介を主人公とする幕末の一大歴史絵巻だが、おびただしいエピソードが散りばめられている。なかに弁信という名の盲目の少年僧で百科全書派的な驚くべき物知りが登場する。一九三二年執筆の「弁信の巻」のなかに、この「おしゃべり坊主」がこんなふうに語る場面がある。

わたくしが或る学者から承ったところによりますと、ヨーロッパにはイタルという国がございまして、そのイタルという国にベスビューという山がございました。最初は誰も火を噴いたのを見たものがなかった山だそうでございましたが、今よりおよそ二千年の昔に当って、この山が突然火を噴き出したそうでございます。その時に、山の麓にありましたポンプという大きな町が、あっ！という間もなくそっくり埋ってしまったそうでございますが、さだめてそれほどの町でございますから、何万という人がすんでいたのでございましょうが、それが、やはり、あっ！という隙もなく一人も残らず熱い泥で埋ってしまったそうでございますが、火を噴く山の勢いというものは、聞いてさえ怖ろしいものでございます。

『大菩薩峠』をたんなる剣豪小説とみなしてはならない。中里介山は、幕末から明治維新にかけての激動の時代にあらゆるタイプの人間を投げこんで、これを前代未聞の哲学的歴史小説に仕上げようともくろんだのである。しかしこれは作者の死とともに全四十一巻で未完に終った。

ベスビューならぬヴェスヴィオに、ゲーテは三度登り、そしてあのフロイトも二度登っている。ポンプならぬポンペイを舞台に物語が展開するヴィルヘルム・イェンゼンの小説『グラディーヴァ』（一九〇三年）の存在をC・G・ユンクに教えられ、これを一読するやいたく刺激を受け、たちまち小説と同じ長さの論文「妄想と夢」（一九〇六—〇九年）を書きあげたフロイトならではである。若き考古学者ノルベルト・ハーノルトがローマの博物館で見出した浮彫像（正確にはヴァティカーノ宮殿キアラモンティ博物館の所蔵番号六四四のヘレニズム期の模刻）[fig.99]の姿に心奪われ、後ろ脚の

fig.99《グラディーヴァ》

踵を地面に対してほとんど垂直に立ち上げて歩くグラディーヴァ(「歩みゆく女」)を求めてポンペイを訪れることが、彼の失われた過去へ遡行して幼い頃の恋の対象ベルトガング・ツォーエを再発見することであり、しかもツォーエの語りがハーノルトという患者のまさに精神分析的な治療以外のなにものでもないこと、足フェティシズムや夢が重要な契機になっていることなど、この物語の全体がフロイトの分析欲を大いに刺激したであろうことは容易に考えられる。すでに一九〇二年十一月にヴェスヴィオに初めて登っていたフロイトにとって、この小説は精神分析理論のほとんど予定調和的ともいうべき自由練習の場のように思われたことだろう。ちなみに、このグラディーヴァという神話的女性の存在がシュルレアリストたちにいかに大きな影を落としたかについては、私は拙著『シュルレアリスムのアメリカ』(二〇〇九年)所収「グラディーヴァ・ノート」で詳論している。

問題はパエストゥムである[fig.100]。ポンペイやエルコラーノの古代ローマの廃墟がもとよりギリシア的な土台の上に立つとはいえ総じて黄土色の印象を呈するとすれば、パエストゥムの三つの神殿群の与える印象は荘厳なまでの白さだ。この対照は一目瞭然である。これこそピラネージが目のあたりにしたマグナ・グラエキアの姿だったはずである。

fig.100 パエストゥム風景（アテナ神殿）★

パエストゥムは、紀元前六百年ごろギリシア人によって建てられ、紀元前六世紀から五世紀にかけて貿易で栄えたティレニア海岸の商業地である。海神ポセイドン（ローマ神話のネプトゥヌス）に捧げられていたから、最初ポセイドニアと呼ばれたが、紀元前三世紀にはローマの植民地になってパエストゥムと呼ばれるようになった。ヴィンケルマンはすでに一七五八年と一七六二年にパエストゥムとヘルクラネウムを含む南イタリアの調査を行ない、その報告書を書き、そして代表作とされる『古代美術史』を一七六四年に発表していた。

ピラネージの頭にはもとよりこのヴィンケルマンの存在と行動が執念く取り憑いていたに相違ない。そしてピラネージは死の直前、一七七七年から一七七八年にかけて、紀元前五世紀に建てられた三つの神殿の廃墟を息子のフランチェスコらとともに調査、二十一枚の景観画のかたちにして『古代都市パエストゥムに残存する三つの巨大神殿』を刊行したが、彼のドローイングに基づく最終的な銅

fig.101 ピラネージ《パエストゥムの古代神殿の廃墟》

版画の作成に死の直前の彼自身がどの程度まで関与しえたのかは明らかでない。

三つの巨大神殿のひとつは、ピラネージの時代にはバジリカとして知られていた、パエストゥムで最古最大の建築である。これは豊饒と母性の女神ヘラ（ローマ神話ではユノ）を祀る初期ドーリア様式のギリシア神殿であることがのちに判明したから、いまではヘライオン（ヘラ神殿I）と呼ばれもする。紀元前五百五十年から五百三十年頃に建てられた、東西軸の前面九本、側面十八本、全部で五十本の柱列の神殿である[fig.101]。そして二つ目はアテナ神殿、ピラネージの時代にはローマ神話のケレスを祀る神殿として知られていたようだが、じつのところアテナを祀る神殿で、紀元前五百年頃に高地に建てられた、前面六本、側面十三本の柱列の神殿である。三つ目は、ピラネージの時代にはポセイドン神殿として知られ、紀元前四百五十年頃に建てられた、前面六本、側面十四本の柱列の古典的ドーリア様式のギリシア建築の典型である[fig.102]。これもいまではヘラを祀る神殿であることが判明しているからヘラ神殿IIとも称される。ちなみに、ロンドンのジョン・ソーンズ・ミュージアムについては、私は『廃墟の美学』のなかで一章を割いて論じているが、そこには、ローマ滞在時にソーンが手に入れたとおぼしいピラネージの幾枚かのドローイングが飾られている。

パエストゥムは、山の木々の伐採や近くの川のたびたびの氾濫ゆえに湿地状態が続き、マラリアに悩まされ、またサラセン人

fig.102 ピラネージ《パエストゥムのポセイドン（ネプトゥヌス）神殿》

や海賊の襲撃もあって、住民たちはついに九世紀にこの場所を放棄した。これが発見されたのは、道路造成工事中の一七五二年のことである。

ギリシア派への対抗を一つの動機として続けられたピラネージの版画制作だが、ヴィンケルマンのみならず、また一七五〇年にローマ賞を受賞しローマやギリシアを巡って研究書を著したフランス人ジュリアン・ダヴィド・ル・ロワなどの影響のもとに、いまやギリシア派の一大拠点ともなっていたアカデミー・ド・フランスとの接触をもピラネージはすでに絶っていた。

ちなみに、一七六五年に書かれた『建築に関する所感　対話　プロトピロとディダスカロ』は、ピラネージの友人でその代弁者たるディダスカロとル・ロワ側に与するプロトピロとの「装飾」をめぐる建築談議である。建築と装飾との不可分性を力説するディダスカロの口吻から、ベルニーニやボッロミーニへのアンビヴァレントな感情というかむしろ密かな共感のうかがわれるこの「対話」は、十八世紀人ピラネージのバロック性を考えるうえで貴重である。ギリシア派対ローマ派の論争を背景に、しかし彼にはなによりもローマ的土壌の上にこそ開花しえたとおぼしきパエストゥムの神殿をつぶさに調査することはピラネージにとって残された最後の課題にほかならなかっただろう。とはいえ彼の仕事が、イタリアにおけるマグナ・グラエキアのほとんど北端の美しい廃墟を対象として終わったというのも、なにやら感慨深い事態ではある。

ピラネージは、パエストゥムの神殿を調査中、持病の膀胱炎をこじらしローマに帰還して間もなく亡くなった。一七七八年十一月九日、五十八歳だった。ピラネージの店は、息子のフランチェスコに受け継がれた。

　ゲーテの『イタリア紀行』のなかに、ピラネージの死の九年後、一七八七年三月二十三日パエストゥムを訪れた際のこんな記述がある。「この鈍い円錐形をした窮屈に押し合っている柱は、われわれには煩わしくむしろ恐ろしくさえ思われるのである。しかし間もなく私は気を取り直して美術史を想起し、このような建築がその精神にふさわしかった時代を考えて、彫塑術の厳格な様式を思い浮かべて見た。すると一時間もたたぬ中に親しみの感じが湧いてきた」と。

　ホッケは、『マグナ・グラエキア』のなかで、「パエストゥムの神殿は、一つの超古典主義的にして超マニエリスム的な芸術の石造による肖像（にすがた）なのだ。それは、ある神話的秘義、あるオルペウス教的秘儀の石造の証人なのだ」と言い、そしてパエストゥムの神殿とピュタゴラス主義とのまことに興味深い関係に触れているが、そうした問題も含めて考察は続けられねばならないだろう。

　ところで、ローマのアカデミー・ド・フランスに集った多くのフランス人のなかで、特筆すべき存在のひとりが、廃墟画に決定的な足跡を残したユベール・ロベールである。一七三三年にパリに生まれたロベールは、一七五四年、二十一歳のときにローマに到着、アカデミー・ド・フランスのあるパラッツォ・マンチーニに十年以上住み、六五年に帰国した。アカデミー・ド・フランスでは、ジョヴァンニ・パオロ・パンニーニに教えを受けたが、そこにはまた数々の劇的な廃墟画を描いたジョゼフ・ヴェルネもいた。しかしロベールにとりわけ影響を与えたのは、パラッツォ・マンチーニの真向かいに版画店を構えていた、ほかならぬピラネージである。

ロベールは、パエストゥムを一七六〇年に訪れたようだが、《水に囲まれた神殿》[fig.103]を描いたのはフランス帰国後の八〇年代である。彼がピラネージの最後の版画群を見たかどうか確かなことはわからないが、制作年代からすれば、それに刺激を受けたことは大いに考えられよう。草原に立つパエストゥムの神殿群のなかでも、もっとも壮大なポセイドン神殿の東側の景観を描いているが、しかもそれが水に取り囲まれている。ティレニア海がここまで浸出してきたかのように。驚くべき奇想画である。現実の白さも感じられないほどに朽ち果てている。帰国後、「廃墟のロベール」と呼ばれたが、しかし彼の作品をいちはやく評価したドニ・ディドロは、その廃墟画に人物

fig.103 ユベール・ロベール《水に囲まれた神殿》(1780年代)

が多く描きこまれ過ぎていると苦言を呈している。その彼が、ルーヴル美術館の初代館長に就任することとなる、フランス革命前後のドラマティックな経緯については、また別の文脈で物語られねばならないだろう。

ヴィンケルマンの死

ところでヴィンケルマンは、一七六八年六月八日に突如として死んだ。ピラネージの死の十年前だが、その死に方がいささか異様である。ウォルター・ペイターは『ルネサンス』（一九七七年）所収の「ヴィンケルマン」（一八六七年）という文章のなかで、そのあたりの事情についてこう書いている。

彼は十二年間ローマにいた。ドイツは彼に惚れこんでたびたび声をかけ、とうとう一七六八年に、彼は生誕の地をふたたび訪ねに出発した。ローマを去る時、奇妙な、さかさまのホーム・シック、つまり、ローマを離れたくないという妙な気持に襲われた。［中略］ヴィンケルマンの「北方のけだるさ」が、力を二倍にしてまたよみがえっていた。彼は、急いでローマに戻ろうとして、ヴィエンナをあとにし、トリエステで二、三日ぶらぶらすることになった。ヴィンケルマンは、いかにも彼らしくあけっぴろげに、アルカンジェリという名の連れの男に旅行の計画を話し、ヴィエンナでもらった金のメダルを見せてやった。アルカンジェリの欲望がむらむらと起った。ある朝、お別れを言いにきたという口実で、彼はヴィンケルマンの部屋に入った。その時ヴィンケルマンは、『「芸術史」の未来の編集者のための覚書』を書いていた。相変わらずこの大作を完全なものにしようともくろんでいたのである。アルカンジェリは、メダルをもう一度見せてくれと頼んだ。ヴィンケルマンはかがんで、箱からメダルを出す。その時彼の首のまわりに紐が巻きつけられた。しばらくして、ヴィンケルマンが逗留の無聊を慰める相手に選んでいた子どもが、ドアをノックしたが、返事がないので、急を知らせた。ヴィンケルマンは見つかった時はもう重体で、二、三時間後に終油の秘蹟を受けて死んだ。

わが国で最初の、そして現在にいたるまでおそらくほとんど唯一の浩瀚なヴィンケルマン伝をものした井島勉は、その著書『ギンケルマン』(一九三六年)のなかで、その「奇妙な最期」についてもう少し詳しく記している。

午前十時頃その部屋を訪れたアルカンジェリは今一度金牌を見せて欲しいと要求し、二三口論の後に縄をもつて首を締めつけ、遂に格闘となつて小刀を揮つた。鮮血に染つて昏倒したギンケルマンは、やがて駆けつけて来た醫者に向つて致命傷か否かを静かに尋ねた。醫者は二箇所が重傷の旨を答へる。ギンケルマンは唯黙つてゐた。出血が甚しくて次第に衰弱して行く。……そして午後四時頃、枕頭に坐つて臨終を祈る唯一人の縁者もゐない旅宿の褥の上に、五十一年の生涯を淋しく閉ぢて行つた。遺骸は翌日教區の教會に移され、共同納骨堂に葬られた。

ペイターは紐による絞殺のみに言及しているが、井島勉は、アルカンジェリが最初に紐で首を締め、ついで小刀で何箇所かを刺して殺害したと書いている。この問題についてはやはりまたドミニック・フェルナンデスに登場願わなくてはならない。彼は『シニョール・ジョヴァンニ』（一九八一年）なる小説形式の小品において、当時の裁判記録を精査して、定説とはかなり違った、まさにフェルナンデスならではの光をこの事件に照射しているからだ。

ちなみに、シニョール・ジョヴァンニとは、ヴィンケルマンがウィーンで女帝マリア・テレジアから金銀のメダルを贈られたあと、ローマへの帰心止みがたく、オーストリアの港町で南欧への門口にもなっているトリエステまで戻って、そこのホテル「オステリーア・グランデ」に一七六八年五月三十一日に到着したときの署名である。ヴィンケルマンは本名を隠していたのである。

フェルナンデスは、このホテルの給仕、ウェイトレス、そして犯人フランチェスコ・アルカンジェリ自身の証言、さらにはこの犯人が犯行前に紐を買った店の主人やナイフを買った店の店員の証言、警察署長による調書などを順次採り上げていく。ヴィンケルマンは、午前十時にナイフで手に二箇所、胸に三箇所、腹に二箇所と都合七突きされ、駆けつけた何人もの医者の手当を受けながら、午後四時に息を引きとったのだった。アルカンジェリは前科のある料理人で、証人たちの目に痩せていると見えればまた太り気味にも見え、顔色が白いとも映れば浅黒いとも映る、明らかにぱっとしない印象の男だったが、彼らの記憶に鮮明に残る唯一の特徴は醜い天然痘の跡だった。ヴィンケルマンは、ホテルの隣部屋になったこの男と一緒に港を散歩したり話しこんだり部屋に出入りしていたらしい。フェルナンデスは、要するに彼ら二人の間には同性愛的関係があったと示唆しているわけだが、あれほどアポロンやアンティノウスなどギリシア的な男性の肉体の理想美を言挙げしていたヴィンケルマンが、なぜよりによってこんな男と関わったのか。ヴィンケルマンは、しかも『ギリシア美術模倣論』のなかでこう書いていたのだ。「天然痘」が、澤柳訳では「痘瘡（あばた）」となっているが、ここでは『シニョール・ジョヴァンニ』から引いておく。

> 美を破壊し、どんな気品に満ちた輪郭すらも台無しにしてしまう病気は、まだギリシア人たちの知るところではなかった。彼らの医者の書き物を見ても、天然痘に関する言及はまったくなされていない。また、今日まで残り得たギリシアの肖像画にも、ホメロスがこと細かに述べているにもかかわらず、この病気の特徴や特有の痕跡として認められるものは一枚もない。

ヴィンケルマンのこの矛盾、あまりにも対照的なこの「二重性の冒険」に対するフェルナンデスの見方あるいは解釈はこうだ。ヴィンケルマンは港の男たちの健康さ、筋肉の逞しさ、「彼らの唇に輝く血とか、胸で玉をなす汗とか、そして、彼があえて名指しできないような、彼らの下腹部の窪みに潜むあのいまひとつの密かなエネルギーであるとか」の官能的なものに感動を呼び起こされる。靴直し職人の子として生まれ、「貴族の血を引かない同性愛者」たる彼は、自分の人生の欺瞞性を発見し、その「抑圧」されていたものを「不名誉で恥ずべき手段」で解放しようとする。つまり、あばた面の犯罪者でもある料理人と関係すること。「遊蕩と汚辱の中でしか抑圧から解放されることのない男にとって、これはなんという思いがけない奇跡だろう！　アルカンジェリと寝ることによって、近づく勇気もなく崇めている美少年たちは、無疵のままその台座上に残す」。

書物に印刷された純潔で熱狂的な賞賛と、トスカーナ生まれの料理人をつかまえて九号室のベッドの上へ転がすせっかちさとの間には、また、ブロンドの美青年(アドニス)たちへの熱愛と、黒髪で褐色肌の男やあばた面の男に対して感じる、じりじりとうずくような官能の熱との間には、そしてまた、その天上的な新古典主義と野卑な性急さとの間、要するにヴィンケルマンとシニョール・ジョヴァンニとの間には、同じひとつの性格の両面があるばかりだ、とぼくは見る。

アルカンジェリが社会的劣者であり、肉体的に醜く、そして犯罪者であるという三つの条件を満たしていたがゆえに、ヴィンケルマンは得心して身を汚すことができた。美を崇拝する一方で、醜さを実践しなければならなかったというわけである。こう言うこともできるかもしれない。ヴィンケルマンはプラトン的なエロス的美を高みに取り置いたまま、バロック的醜の質料性に身を委ねたのだ、と。

いずれにせよ、ヴィンケルマンはこうして一七六八年に異常な死を死んだ。フェルナンデスは、『シニョール・ジョヴァンニ』の翌年、一九八二年に『天使の手のなかで』を刊行した。一九七五年にローマ近郊のオスティア海岸で青年にバットで殴打され、さらに自動車で轢殺された、あのピエル・パオロ・パゾリーニについて書いたものだ。フェルナンデスの頭のなかでは、ヴィンケルマンとパゾリーニ、歴史上の偉人と現実に私淑していた芸術家、両者の凄惨な死にまぎれもない共通性があるということになるだろう。

ギリシアに絶えて一度も足を踏み入れることもなく、逆説的にもすべてローマン・コピーを通してギリシアを言挙げしつづけたヴィンケルマン。ギリシアを絶対的な「起源」とするところの西洋美術史という言説の基礎を確固たるものにしたヴィンケルマン。そのヴィンケルマンの死は、ピラネージにとって幸先の良いものになるはずだった。だが、期待した教皇庁古物監督官の職は、ピラネージではなくジョヴァンニ・バッティスタ・ヴィスコンティに受け継がれた。ヴィンケルマンに先を越された、晩年のピラネージのマグナ・グラエキア調査は、そうした彼の忸怩たる思い、そしてあくまでも在野の研究者たる運命を余儀なくされた己れの揺るぎない衿持に支えられていただろうと思われる。

その彼の仕事のなかから最後に何点か触れておきたい。

幻想の古代都市

まずはピラネージの作成した一枚のドローイングを問題にしたい[fig.104]。もちろんドローイングという英語よりも、この十八世紀のイタリア人の頭にはディゼーニョという語と概念があったに違いない。フランス語のデッサン、英語のデザインに相当する、むしろそれらの元になったイタリア語である。ジョルジョ・ヴァザーリが、その著書『画家・彫刻家・建築家列伝』(一五五〇年)において、絵画と彫刻と建築の三つを「アルティ・デル・ディゼーニョ(arti del disegno)」、ディゼーニョの術という概念によって初めて一括して論じることを得た、そのディゼーニョである。いまなら簡単に造形芸術という言葉で呼ぶであろう包括的概念は、ヴァザーリによって開始されたわけである。ディゼーニョを線描的意匠とでも訳したらいいだろうか。線で設計する、構図を取る、線描する……。

廃墟画をここで採り上げようとしているのではない。ピラネージが『ローマの壮麗と建築』と同年、一七六二年に刊行した『古代ローマのカンプス・マルティウス(カンポ・マルツィオ)』に収められた《イクノグラフィア》と題された、横一一〇・五センチ、縦一三四センチの図面をいま問題にしたいのだ。なお、この版画集については、桐敷真次郎・岡田哲史著『ピラネージと『カンプ

fig.104 ピラネージ《イクノグラフィア》

ス・マルティウス』』（一九九三年）という立派な研究が日本語で読める。

イタリア語でイル・カンポ・マルツィオ、ラテン語でカンプス・マルティウスとは、「軍神マルスの野」という意味で、ローマ市内のパンテオンやナヴォーナ広場などのある一帯を指す。軍神マルスは同時に農業や牧畜の神でもあり、ローマの守護神として祀られていたが、この一帯は、エッフェル塔のあるパリのシャン・ド・マルスに相当する中央地区である。みずから建築家と称しつづけたピラネージは、現存する廃墟＝遺跡の壮麗な再現を試みるばかりではない。《イクノグラフィア》においてもくろまれているのは、カンポ・マルツィオの建設がほぼ終了したと思われる四世紀初めのコンスタンティヌス帝時代の都市の様相だが、いまやその面影をほとんど留めぬ時代にあって、つまるところそれは幻想の古代都市ローマの紙上における建設にほかならなかった。

《イクノグラフィア》は、厳密には六枚の図版によって構成される図面だが、現存する古代遺跡の場所を確保したあと、余白をすべて想像の赴くままに埋めつくした異様な平面図として現れる。ピラネージ自身は、たんなる奇想画（カプリッチョ）と見られることを嫌って、周到な調査と研究を重ねた上での、あたうかぎり精緻な古代ローマの再現地図として提示したようだが、それにしてもここでは蛇行するテヴェレ川だけを唯一の自然の指標として、ディゼーニョの線描性がいっさいの統一的配慮を忘れたかのように自立し現実から飛翔する。

空白恐怖（ホロール・ヴァクイ）と言っても過言ではない線の集積、定かならぬ形態の恣意的な連結。マンフレッド・タフーリも、その『球と迷宮』（一九八〇年）で強調するように、ここには偽りの組織性の無定形な堆積を支配する「断片の勝利」があると言ってもいいほどである。つまり、一方には考古学上の綿密な学問的探求が、他方にはその再構成における絶対的な恣意性があるのだ。

注意すべきは、この恣意性のうちにある種の特徴が見てとれることだろう。線の集積のなかから個々の建物を分離して眺める（俯瞰すると言うべきか）ときに、突如として浮かび上がる人間形態的(アントロポモルフィック)ないし動物形態的(ゾウモルフィック)なディゼーニョがそれである。たとえばマルス神殿が梟(ふくろう)の形をしていることは、まず否定すべくもない事実だろう。ちなみに、ピラネージがかなり影響を受けたらしいエジプト象徴学によれば、梟のヒエログリフは死の象徴である。あるいは現在カステル・サンタンジェロ（聖天使城）と呼ばれるハドリアヌス帝廟が、全体としては髭を生やした顔にも見えれば、双子によって構成されているようにも見える。あるいは幾何学的に構成されたアウグストゥス帝廟のうちに、一対のまぎれもないファロス（男根）型の形態を見てとることができるなど、ここにはたしかに特殊なアントロポモルフィスムがある。

神殿は「容姿の立派な人間」に似なくてはならないと説いたのは、古代ローマの建築家ウィトルウィウス（『建築十書』紀元前一世紀）である。正しいシンメトリーとプロポーションの強調が人間形態主義(アントロポモルフィスム)と結びついたのが、古典主義建築論の要諦である。ちなみに、こうしたアントロポモルフィスムは、形こそ違えモダニズム建築の総帥ル・コルビュジエの「モデュロール」のうちにも見てとれるもので、彼は巻貝の螺旋形と人体のプロポーションの背後に潜む数的秩序が共通しており、それはつまるところ黄金比であると考えたのだった。

ピラネージのアントロポモルフィスムとも言うべきものが、しかし、少なくともウィトルウィウスからアルベルティにいたる古典主義的なそれとはまるで異なるものであることは、論を俟たない。象徴的なアリュージョン（ほのめかし）としての、あるいはむしろ象徴的な戯れとしての、そのかぎりにおけるアントロポモルフィスムと言うべきだろうか。線の集積のなかに潜ませた遊びと言った方が妥当かもしれない。

いずれにせよ、この遊びは、フランスのクロード・ニコラ・ルドゥーやイギリスのジョン・ソーンのような建築家へと飛び火する。円形と矩形を基調として列柱が空間を分節する、ルドゥーに特徴的な平面構成は、《イクノグラフィア》を彷彿とさせずにはいないが、そのルドゥーのオイケマ（売春宿）の計画のなかの「快楽の家」には、まさしくピラネージ的なファロスが登場する。ピラネージに私淑してロンドンの自邸を古代建築の断片などで埋めつくしたソーンにも、まぎれもないファロス型の墳墓のドローイングがある。タナトスとエロスの意図的な結合である

古代ローマをトポスとする紙上での形の構築と解体、意味と無意味、現実と幻想、志向と恣意、拘束と自由……。ローマ派の優位を高らかに宣言するような、ギリシア派には及びもつかないバロック的アイオーンの一顕現と見るべきだろうか。

ハドリアヌス帝廟と聖天使城橋

髭を生やした顔、あるいは双子によって構成されたような形態としてピラネージの《イクノグラフィア》に登場したハドリアヌス帝廟は、紀元一三五年にハドリアヌス帝がみずからの霊廟（マウソレウム）として建設を開始し、一三八年の帝の死後、アントニヌス・ピウス帝治世の一三九年に完成したものである［fig.105］。十四世紀以降、歴代のローマ教皇によって要塞として強化され、また牢獄や避難所としても用いられた。一五二七年、ルター派のドイツ人傭兵とスペイン兵を中心とする神聖ローマ帝国カール五世の軍隊による、いわゆる「ローマ劫掠（Sacco di Roma）」の際、教皇クレメンス七世がヴァティカンからつながる八百メートルの長さの通路を通って逃げこんだのもこの帝廟である。

ちなみに、この通路（Passetto di Borgo）は、

fig.105 ピラネージ《聖天使城の眺望》

たとえばアンドレ・ジッドの小説、石川淳訳『法王庁の抜け穴』（一九一四年）においては、まさしく「抜け穴（les caves）」と呼ばれており、そのかぎりであたかも地下道のような印象を与えるが、確かに一部は地下道の様相を帯びるもののおおよそ地上の城壁に設けられたものである。ダン・ブラウンの『天使と悪魔』のラングドン教授も壁の上の通路を走っていたと記憶する。いずれにせよ、この歴史的事件の全貌については、アンドレ・シャステルの労作『ローマ劫掠』（一九八四年）に詳らかである。稀代の彫金師ベンヴェヌート・チェッリーニ（一五〇〇―一五七一）も、カール五世軍に包囲されたこの帝廟に籠って教皇とローマのために砲を撃ち続けたのだった（『チェッリーニ自伝』）。

カステル・サンタンジェロ（聖天使城）の呼称は、十六世紀中頃、ラファエッロ・ダ・モンテプーロによる大理石製の天使像が城の頂上に据えられたことに基づくが、六世紀末にローマでペストが流行した際、時の教皇グレゴリウス一世が城の頂きに大天使ミカエルの姿を幻視してペストの終焉を予知したという逸話が背景にあるようだ。

十六世紀後半から十七世紀中葉の百年間、まさにこの「建設の時代」にローマ・カトリックの首都、バロック都市ローマがその十全たる姿を表した。一六六七年、教皇クレメンス九世は、テヴェレ川にかかる全長百三十五メートルの、かつてはハドリアヌス帝の氏族名にちなんでアエリウス橋あるいはエリオ橋と呼ばれたサンタンジェロ橋[fig.106]の装飾をベルニーニに依頼した。冥界を七巻きするという三途の川ステュクスにも隠喩的に重ね合わされていたであろうテヴェレ川を渡って冥

fig.106 サンタンジェロ橋 ★

fig.107 聖顔布を持った天使像 ★

界としての霊廟へと導くことになっていたアエリウス橋は、いまやベルニーニ自身による二体とベルニーニの工房による八体の都合十体の天使像で飾られることになった。天使たちは皆、キリストの受難のしるし、柱、鞭、釘、十字架などの「聖遺物」を、ベルニーニ自身の天使はINRI（IESUS NAZARENUS REX IUDAEORUM、ナザレのイエス、ユダヤ人の王）の銘とイバラの王冠を手にしているが、これら二体はコピーで、オリジナルのほうは、スペイン階段近くのボッロミーニが手がけたサンタンドレア・デッレ・フラッテ教会に収められている。これもまた奇しき因縁というほかはない。十体の天使のなかで特筆すべきは、ここにも聖顔布を持った天使像［fig.107］がいることだろう。サン・ピエトロ大聖堂の内陣にある、あのフランチェスコ・モーキによる《聖ヴェロニカ》像の制作が一六三二年であるから、なかなかの風情をたたえているとはいえ、これは明らかにその二番煎じというか、いささか穏やかなヴァージョンである。

いずれにせよ、現在パオロ・ロマーノ作の聖パウロ像を右に、ロレンツェット・ロッティ作の聖ペテロ像を左に据えたサンタンジェロ橋に足を踏み入れ、そしてキリストの受難を象徴する十体の天使像が欄干に並ぶ橋を渡って聖天使城に近づくことは、これをキリストが十字架を背負って歩いたあのエルサレムの「苦難の道（Via Drolosa）」にも比せられる「十字架の道（Via Crusis）」とみなすことになろう。この道はサン・ピエトロ大聖堂へと導く参道でもあるわけだ。

ヴィッラ・アドリアーナの方へ

ハドリアヌス帝は、その治世の間にローマはもとより帝国属州にさまざまな建造物を建てた。属州視察の旅にはつねに建築技師が同道していたという。ほとんど建築家と言っても過言ではないような彼の建築観、世界観を主題に据えた書物がある。伊藤哲夫『ローマ皇帝ハドリアヌスとの建築的対話』（二〇一一年）である。二十世紀の日本の建築家がハドリアヌスと建築談義を重ねるという驚くべき大著である。語られる場所は、ローマ、ギリシア、小アジア、シリア、そしてエジプトだが、しかしここではハドリアヌスがローマに遺した建造物に触れるにとどめよう。

ところで、もとよりピラネージは『ローマの景観』のなかに《ハドリアヌス帝廟（カステル・サンタンジェロ）》をしっかりと収めているが、『ローマの古代遺跡』（一七五六年）には《アエリウス橋（聖天使城橋）の基礎》といった、まさしく「建築家」ならではの驚くべき精緻な作品を見出すことができる。

　そしてハドリアヌスに関係するもうひとつの建物、パンテオンももちろん記録することを忘れてはいない。ピラネージは『古代ローマのカンポ・マルツィオ』（一七六二年）にもパンテオンの堂々たる姿［fig.108］を収めている。パンテオンは、ローマのなかで唯一ギリシア語の名をとどめる建造物である。アウグストゥス帝の女婿アグリッパによって神々を祀る「万神殿」として紀元前二十七年に建造が開始されたとの銘がそのまま残されているが、しかしじつはこれは紀元八十年のローマ大火の際に焼失し、その後ドミティアヌス帝によって再建されたもののこれも百十年に落雷のため焼失した。ハドリアヌスは百二十年頃からこれを新たに円形の建物として再建に着手したと

fig.108 ピラネージ《パンテオン》

思しい。もともと矩形であった建物の名残は、現在の正面玄関の部分、ポルティクスに窺われるだけである。円球を内包する半円球状のドームに覆われた空間は、ハドリアヌスの世界観を体現して属州を含むローマ帝国のすべての神々を容れる「世界の神殿（テンプルム・ムンディ）」にふさわしい。これはまさしく広大なローマ帝国を象徴する空間である。

しかしこの建物は七世紀以降、聖母と殉教者たちのための聖堂になり、ルネサンス期にはキリスト教会として「ラ・ロトンダ」の呼称で親しまれた。十七世紀には教皇ウルバヌス八世の命で、ベルニーニがポルティクスと円形ドームとの間の屋根の部分に二つの鐘楼を付け加えた。「ロバの耳」とも称されるが、こうしてパンテオンはますますキリスト教会としての体裁を整えたわけである。ここにはラファエッロの墓もある。しかし円形ドームの中央の屋根の部分にぽっかりと口を開けた直径九メートルの天窓オクルスは、そうしたキリスト教化に抗するかのように逆説的にも圧倒的な存在感を誇示している。採光窓の役割をしているのだろうが、雨が降ったらモザイクの床がどうなるかと思わずにはいられない。私が訪れるときはいつも晴天だったが、どうやらドーム内部から上昇する気流のために雨はさほど降りこまないようにできているらしいのである。いずれにせよ、バロック都市ローマを象徴するまことに特異な建造物ではある。

フォロ・ロマーノから円形闘技場コロッセオへと向かう「聖なる道（サクラ・ウィア）」の左側にファサードを向けて建つ「ウェヌスと女神ローマの神殿」も、ハドリアヌスが百二十一年に着工し百三十五年に奉献したローマ最大と言われるギリシア神殿の遺跡である。多数の円柱が内陣を取り囲む姿が望見でき

fig.109 ピラネージ《アントニヌス神殿の残闕》

るが、あえて「女神ローマ」を言挙げするこの神殿によって、ハドリアヌスは「永遠なるローマ（ローマ・アエテルナ）」への祈願を形にしたのである。

さらにもうひとつローマ市内に見いだすことのできるハドリアヌス関係の遺跡の記録もピラネージはちゃんと残している。ピラネージはこれをアントニオ・ピオ、すなわちアントニヌス・ピウスの神殿の側面と記している[fig.109]が、パンテオン近くのピエトラ広場の建物に張り付くように建っている十一本の列柱[fig.110]は、確かにアントニヌス・ピウス帝によって紀元一四五年に建設された神殿の一部をなすものの、これは本来ハドリアヌス帝の偉業を讃えて帝に捧げられたものであることが知られているから、いまではハドリアヌスの神殿と呼ぶのが普通である。コリント式の列柱が張り付いているのは、十九世紀末以降税関として使われ、現在は証券取引所になっている建物らしい。過去と現在のローマならではの取り合わせである。

fig.110 ピエトラ広場の建物に張り付くように建つ11本の列柱 ★

さて、またこの頃からピラネージはローマ北東の近郊ティヴォリにあるハドリアヌス帝の別荘、ヴィッラ・アドリアーナに惹かれ、その調査をもとに数多くの作品を残すようになった。『ローマの景観』には十点ほどのスケッチが収められている。

この地には紀元前二世紀頃からすでに数多くの別荘が建てられていたようだが、ハドリアヌス帝が、その在位期間二十一年の半分近くを費やして帝国の属州を経巡りながら、この緩やかな傾斜地にヴィッラの建設を始めたのは紀元一一八年、ほぼ完成を見たのは一三〇年頃と推測される。が、帝は一三八年に死去した。その後見捨てられ忘れ去られ破壊され土砂に埋もれたままになっていたこのヴィッラが「再発見」されたのは、ようやく十五世紀になってからである。約百二十ヘクタールに及ぶ広さのヴィッラの全貌は、しかしいまだに十全に明らかになっていない。十八世紀のピラネージが記録したのも発掘調査中のヴィッラの姿である。一九九九年に世界遺産に登録されたようだが、「海の劇場（テアトロ・マリーティモ）」[fig.111]と呼ばれるまことに印象的な東屋（あずまや）を含む三十程度の建物群によって構成され、しかも地下に縦横に走る通路網が設けられているらしいこのヴィッラが、いまなお発掘・修復中であることには変わりがない。

このヴィッラに隠棲したハドリアヌス帝については、マルグリット・ユルスナールの『ハドリアヌス帝の回想』（一九五一年）という比類のない小説が出ている。ハドリアヌスは、エジプトのナイル河に身を投げた寵童アンティノウスについてこう述懐する。「わたしは世間に彼の似姿を強制し、今ではあの子の肖像はどんな著名の士、どんな女王の肖像よりも多数存在している」[fig.112]と。「わたしは彼を、美に熱中しているこの国の象徴と考えていたが、彼はまたこの国の最後の神であろう」とも。ハドリアヌス帝の長命を願って自己を犠牲に捧げたとの説明がなされたりもするが、その死の真の事情は不明のままである。アンティノウスは南天に輝く鷲座の星にもその名を残すことになったが、ハドリアヌスはアンティノウスが死んだ地点近くのナイル河右岸に彼を守護神とする新都市アンティノオポリスを建設し、そしてエジプトの神オシリスと同格の神として、この都市とナイル河を見渡す丘の上に

fig.112 アンティノウス像

fig.111 ヴィッラ・アドリアーナ《海の劇場》★

オシリス・アンティノウス神殿を建てさえしたのだった。

ユルスナールはまた卓抜な三島由紀夫論『三島由紀夫あるいは空虚のヴィジョン』(一九八〇年)をものしているが、その三島もハドリアヌスが「世間に強制し」たアンティノウスの似姿に心奪われたひとりである。『仮面の告白』(一九四九年)において、十四歳の「私」に《ejaculatio》を誘発したあのグイド・レーニの《聖セバスチャンの殉教》のその肉体をすでに「アンティノウスにも比ふべき肉体」と書いていた三島は、一九五二年にローマを訪れた際、アンティノウス像を見るために二度もヴァティカン美術館を訪れたのである。三島は『アポロの杯』(一九五二年)のなかでこう書いている。「このうら若いアビシニア人は、極めて短い生涯のうちに、奴隷から神にまで陞(のぼ)つたのであつたが、それは智力のためでも才能のためでもなく、ただ儔(たぐ)ひない外面の美しさのためであり、彼はこの移ろひやすいものを損なふことなく、自殺とも過失ともつかぬふしぎな動機によつて、ナイルに溺れるにいたるのである」と。アビシニアとはアラビア語によるエチオピアの旧称だが、アンティノウスが生まれたのは小アジアのビテュニアであるとされているから、三島がなぜ彼をことさらにアビシニア人と呼んでいるのかは判然としない。いずれにせよ、ユルスナールは、しかし、その三島論のなかで、彼のアンティノウスへの熱狂については触れていない。

ユルスナールの小説に、「わたしはみずから、川べりに沿った整然たる棕櫚の列に対応するコリントふう列柱の設計図をひいた」とあるように、この広大な廃墟のなかに、ハドリアヌスがアンティノウスを偲んでつくったという長方形のカノプスの池[fig.113]がある。カノプスとは、アレクサンドレイア北東のナイル河支流の港町の名である。ハドリアヌスはこのカノプスをアンティノウスや側近たちとの遊興の場所としていたらしい。幾多の女神像(カリアティード)やシレノス像などに囲まれた、幅約十八メートル、長さ約百二十メートルの水路様の池は、空の青と木々の緑を映して重く静謐である。土砂に埋まっていたこの水路が発掘されたのはようやく一九五〇年代初めになってからだから、そこに水が注がれてから実際にはまだ半世紀ほどしか経っていないわけだが、まるで二千年の時を封じこめたような深い色合いをしている。この池の水の色に対しては、青緑 azzuro verde というイタリア語を適用すべきだろう。

fig.113 カノプスの池 ★

この池の正面に直径約十七メートルの半円形ドームが口を開け、その奥に洞窟のような空間がある[fig.114]。これはどうやら食事の間として使われていたらしい。ハドリアヌスはここでひとりで、あるいは側近たち、客たちと、カノプスの池を眺め、エジプトに、そしてアンティノウスに思いを馳せながら時を過ごしていたのだろうか。

ところで、このヴィッラを訪れた和辻哲郎は、その『イタリア古寺巡礼』にこう書いている。

ハドリアヌスの別荘のあとは廃墟になって残っているが、こういうところを見るとなるほど廃墟の美しさというものが感じられる。糸杉の突っ立っている合い間からは遠くに一面のオリーヴの畑が見え、見渡す限りの美しい線のなかに、いかにも破壊そのものを具象化したような、ゴツゴツした煉瓦の壁が残っている。もしこの壁がこれほど堅牢でなかったなら、またそれを取り巻く自然がこれほど温順でなかったら、こういう廃墟の美しさは現出して来ないであろう。もし廃墟というものの標準をこういうところに認めるとすれば、日本には廃墟などというものはない、と言ってよい。

fig.114 ピラネージ《ヴィッラ・アドリアーナのカノプスの廃墟》

ヴィッラ・アドリアーナは、ローマという世界の都（caputo mundi）のみならず、ローマ帝国そのものを象徴する廃墟と言っても過言ではない。ハドリアヌスはローマ帝国の広大な版図を経めぐりながら、印象に残った、とはいえエジプトのカノプスを除けばおおむねギリシア的な建築的意匠をここに再現しようとしたからだ。幾何学的な対称性を拒否し、自然の地形に即して建物の向きが様々で、水をふんだんに使い、そしてなによりも慰安と快楽と豪華さを求めたこのヴィッラのありように、あのボッロミーニがいたく興味をそそられ、その発掘現場を何度も訪れて熱心にスケッチしたことが知られている。ドールスはヘレニズム・バロックの存在を主張したが、じつのところボッロミーニらによって展開を見た十七世紀バロックは、古代ローマ建築を含むヘレニズム建築の研究に基礎づけられていたと言うこともできるかもしれないわけである。いずれにせよ、バロック的アイオーンの回帰であることは間違いあるまい。

いまでは広々とした自然のなかに「ゴツゴツした煉瓦の壁」が横たわって、ローマの廃墟のなかでもまさに「美しさ」の際立つ特異な廃墟にほかならないが、晩年のピラネージがこの場所にとりわけ愛着を覚えたのも理解できる。

ユルスナールは、『ハドリアヌス帝の回想』の最後に付された「覚え書き」のなかで、ニューヨークで偶然見つけたピラネージの版画四枚のうちの一枚、おそらくここに挙げた版画と思われるが、それがこの小説を書くひとつの動機となったことを示唆している。「その一枚はその時までわたしの知らなかったハドリアヌスのヴィラの風景で、カノプス礼拝堂を描いている。……頭蓋骨のようにはり裂けた円形の建物で、曖昧な植物が髪の房のように垂れさがっている。ピラネージのほとんど霊媒的な天才は、ここに幻覚と、追想の長い慣わしと、内的世界の悲劇的建築を嗅ぎつけたのだ」と。

ヴィラ・アドリアーナは、まさに広大なローマ帝国の多様性と統一性を象徴する「ローマ」そのもの、いわばハドリアヌスの「ローマの夢」(il Sogno Romano) にほかならない。

ファブリツィオ・クレリチの《ローマの眠り》(il Sonno Romano) の特異な廃墟空間から、こうしてローマ近郊のヴィッラ・アドリアーナの「ローマの夢」(il Sogno Romano) の廃墟に逢着したところで、われわれのバロック的遁走も終えることにしよう。

イタリアの憂国忌――あとがきに代えて

三島由紀夫は一九五二年四月末日から五月七日まで一週間ローマに滞在した。「眷恋(けんれん)の地」ギリシアをあとにしてローマに入った三島は、コロッセオを見てこう書いている。「コロセウムは私を感動させなかつた。それを芸術品と見ることがそもそもまちがひであるが、もし芸術品だと仮定すると、この作品は大きすぎる主題を扱つた欠点のやうなものを持つてゐる。そもそも芸術には「大きな主題」などといふものはないのだ」(『アポロの杯』)。ローマでは数々の遺跡も、そしてまだ訪れていない「旧教の総本山」ヴァティカンもなにもかもが大きいだろう、と三島は述懐するのである。

ところが、二日目以降、三島はいくつかの美術館を訪れ始めて、「ローマ第一日目の失望は拭ひ去られた」と言う。テルメ国立美術館の古代彫刻群、そしてなによりもヴァティカン美術館のアンティノウス像に魅せられ、アンティノウスに関する「小戯曲」の想を得るほどだったが、ボルゲーゼ美術館、パラッツォ・コンセルヴァトーリ宮の美術館、キャピトール美術館、パラッツォ・ヴェネツィアの絵画群にも筆を踊らせている。なお、三島はパラッツォ・コンセルヴァトーリとキャピトール美術館とを区別して書いているが、現在はパラッツォ・コンセルヴァトーリとパラッツォ・ヌオーヴォ(新宮)とを併せてカピトリーニ美術館 Musei Capitorini と呼んでいる。三島がローマを訪れた時点と現在とでは、美術館の構成、作品の配置にいささか変化があったようだ。『仮面の告白』の「私」が画集に発見して《ejaculatio》を誘発されたあのグイド・レーニの《聖セバスチャン》はジェノヴァのパラッツォ・ロッソのものだが、そのヴァージョンがパラッソ・コンセルヴァトーリの三階のピナコテーカ・カピトリーナ（カピトリーナ絵画館）と呼ばれる場所に置かれている。そこで三島はグイド・レーニの作品を眼前にして、「ゼノアにある同じ作品の複製」のほうが好きだと明言している。「複製」というよりむしろヴァージョンと呼ぶべきだろうが、それら「二つの間には微妙な違ひがある」と三島は書いている。この問題、そしてもとより聖セバスティアヌスその人に関する問題について、私は『肉体の迷宮』のなかで詳論しているので、ここではこれ以上触れるのを控えよう。

ただここであらためて確認しておきたいのは、グイド・レーニの名とともに挙げられるのがルーベンス、ヴェロネーゼ、プッサンであり、あるいはボローニャ派のジュゼッペ・マリア・クレスピであって、三島の筆がおおむねバロック的なものに向けられているということだ。いささか不思議なのは、三島がカラヴァッジョにもベルニーニにもいっさい言及していないことだ。カラヴァッジョ評価の高まりは比較的最近ということもあり、当時まだボルゲーゼ美術館に作品が収められていなかったのかもしれず、また一週間という短い期間に彼の作品の収められたバルベリーニ宮（国立古典絵画館）や教会などを訪れる機会もなかったということかもしれない。三島とカラヴァッジョ！　なんとも魅惑的なテーマだが、残念ながらこの関係性は見果てぬ夢に終わった。そしてヴァティカンを訪れたなら、当然ベルニーニを意識せざるをえないと思われるが、なにもかもが大きい「旧教の総本山」を造った立役者ともいうべきベルニーニには最初から関心が向かわなかったのかもしれない。三島のバロック嗜好は、彼の目に触れた「官能的」作品によってのみ誘発されていると言うべきだろうか。

ところが三島は、『仮面の告白』刊行と同年の一九四九年、「戯曲を書きたがる小説書きのノート」というエッセイのなかで、こんなふうに書いていた。「私はシェークスピアを完璧なルネサンス芸術だとは思はない。何とはなしにあのバロック臭がいやである。頑固にシェークスピアは、バロック芸術の遠い先蹤のやうに思はれるのだ」と。ラシーヌの古典主義を好んだ三島である。シェイクスピアの「バロック臭」を嗅ぎわける嗅覚は鋭敏である。このとき「バロック」は、個々の芸術家を括る様式概念というよりは、ある種の否定的な美的品質を指す形容辞として用いられている。

この否定性は、しかし容易に肯定性に逆転しうる態のものである。『裸体と衣裳』の昭和三十四年（一九五九年）四月三日の記述において、「パリの室内装飾を未だに支配してゐるバロック趣味やロココ趣味」が、「パリの小説家が未だに持してゐる透明な理性や文体」を可能にしているのだ、と三島は書いている。三島自身の「透明な理性や文体」のためにも「バロック装飾の過剰」「バロック趣味」が要請されるほかはないだろう。実際、三島がこの文章を書いたとき、彼みずから「スパニッシュ・バロック」と呼ぶところの「金ピカ趣味一点張り」の室内装飾の自邸が完成しつつあった。『裸体と衣裳』のくだんの一節は、目前に完成を控えた自邸への三島のアポロギアとして読むことができるだろう。

それればかりではない。三島は『裸体と衣裳』と同時に小説『鏡子の家』を執筆刊行したが、ボディビルに励んで肉体を厚い筋肉で鎧おうとする男に対して、「感受性」の体現者たる画家の目を通して「ヘレニスティック彫刻の、いささかバロック風な「誇張」の様式」と揶揄させている。小説の一登場人物のみならず、厚い筋肉で自分の肉体をまさに「バロック風」に作品化しようとする三島自身に対してもおのずから距離を置いた冷徹な認識というほかはない。バロックへのこのアンビヴァレンスこそ、三島の文学宇宙を論じる際の要諦であろうと思う。

私はそれを「薔薇のバロキスム」と呼ぶ。なぜ「薔薇」なのか。三島について私は『三島由紀夫の美学講座』（二〇〇〇年）を編み、また薔薇の問題については『文学の皮膚』（一九九六年）においても『肉体の迷宮』（二〇〇九年）においても、あるいは『幻想の花園』（二〇一五年）においても触れてはいるが、しかしこれを十全に論じるにはあらためて一書が必要となろう。

そんなふうに考えていたとき、ローマに拠点を置く日伊友好のための非営利文化協会「源の会（MOTONOKAI）」から思いがけず三島についてのエッセイを頼まれた。三島の文学的想像力における植物的なものの意味について論じた私の「三島由紀夫のフローラ」と題する小論がイタリア語訳（Flora di Yukio Mishima）され、これが私の日本語原文とともにインターネットに挙げられるにいたった。Atsushi Tanigawa-MOTONOKAI と引いていただければ読むことができる。そしてこれがきっかけとなって、ローマのある出版社（GOG edizioni）から三島由紀夫論の書き下ろしの話が舞いこんだのである。これを機に三島のフローラのなかでも特権的な「薔薇」の問題を核に『三島由紀夫——薔薇のバロキスム』を一気に書き下ろした次第である。このイタリア語訳の書物刊行を前にして私の講演会が企画され、昨二〇二一年十一月二十五日、三島の死から五十一年後のまさに憂国忌当日にローマならぬモデナの国立アカデミーで私は「三島由紀夫——肉体の論理と死」と題する講演をおこなう機会を得た。モデナは、フェラーリやマセラティといったイタリアを代表する自動車メイカーが拠点を置き、また食文化のじつに豊かな北イタリアの小都市である。私の講演会を含む日伊友好の催しがここで開かれることになったのは、おそらくローマとモデナとの協力後援関係のためであろうと思う。イタリア語訳の書物は、はからずもこの七月に刊行を見た。このイタリア語版小著を核にした相貌も新たな日本語版三島論も遠からず形をとることになるはずだ。

いずれにせよ、私にとって等しく長年の懸案であった三島由紀夫論とローマ・バロック論とがこうして交叉し、イタリアと日本とでほぼ同時期に刊行されることになった。まことに奇しき縁（えにし）と言うほかはない。

本書『ローマの眠り　あるいはバロック的遁走』の成立に当たっては、すでに活字になった以下の何篇かの論考が組みこまれている。

「バロックの風景——ファブリツィオ・クレリチの《ローマの眠り》をめぐって」『新編　表象の迷宮　マニエリスムからモダニズムへ』（ありな書房、一九九五年）所収。

「建築と線描(ディゼーニョ)――ピラネージの幻想」『版画芸術』一三六号(阿部出版、二〇〇七年)

「聖性の帰趨　聖画像と聖遺物」『信仰と美のかたち　可視化された神の像』(里文出版、二〇一三年)所収。

「エルサレム行」『游魚』七号(西田書店、二〇一九年)。

基本は「バロックの風景」の拡大版とも言えようが、いずれの論考も大幅に加筆し、ほとんど原形をとどめずに全体に溶かしこまれているから、本書を実質的に書き下ろしとみなしていただいて差しつかえない。というより著者としてはむしろそのようにお読みいただければと願う次第である。これも私自身の文字どおり「ローマの夢」にほかならない。

ローマではイタリア人・日本人のいろいろな方々にお世話になったが、特に駒形克哉氏と蓑京子さんのお二人の名前をここに記して感謝したい。本書の実現に当たっては、『孤独な窃視者の夢想日本近代文学のぞきからくり』に続いて、また月曜社の神林豊氏のひとかたならぬご尽力にあずかった。あらためて謝意を評する次第である。

二〇二二年　文月

谷川渥

参照日本語文献

アイスキュロス『エウメニデス』（『ギリシア悲劇全集』第一巻、呉茂一訳、人文書院、一九六〇年、所収）
芥川龍之介「さまよえる猶太人」（『芥川龍之介全集1』ちくま文庫、一九八六年、所収、ほか）
――「西方の人」「続西方の人」（『芥川龍之介全集7』ちくま文庫、一九八九年、所収、ほか）
アンデルセン『即興詩人』（森鴎外訳、『森鴎外全集10』ちくま文庫、一九九五年、大畑末吉訳、岩波文庫、一九六〇年）
イエイツ、フランセス『ジョルダーノ・ブルーノとヘルメス教の伝統』（前野佳彦訳、工作舎、二〇一〇年）
イェンゼン、W／フロイト、S『グラディーヴァ／妄想と夢』（種村季弘訳、作品社、一九九六年、平凡社ライブラリー、二〇一四年）
石川淳「焼跡のイエス」（『日本の文学60 石川淳』中央公論社、一九六七年、所収）
井島勉『ギンケルマン』（弘文堂書房、一九三六年）
伊藤哲夫『ローマ皇帝ハドリアヌスとの建築的対話』（井上書店、二〇一一年）
ヴァザーリ、ジョルジョ『ヴァザーリの芸術論』（林達夫・摩寿意善郎監修、辻茂・高階秀爾・佐々木英也・若桑みどり・生田圓 翻訳・註解・研究、平凡社、一九八〇年）
――『ルネサンス画人伝』（平川祐弘・小谷幸司・田中英道訳、白水社、一九八二年）
――『ルネサンス彫刻家建築家列伝』（森田義之監訳、白水社、一九八九年）

――『続ルネサンス画人伝』（平川祐弘・仙北谷茅戸・小谷幸司訳、白水社、一九九五年）
ウィットカウアー、R&M『土星のもとに生まれて 数奇な芸術家たち』（中森義宗・清水忠訳、岩崎美術社、一九六九年）
ウィトルーウィウス『建築書』（森田慶一訳註、東海大学出版会、一九七九年）
ウィルソン、イアン『トリノの聖骸布』（木原武一訳、文藝春秋、一九八五年）
ヴィンケルマン、ヨハン・ヨアヒム『ギリシア美術模倣論』（澤柳大五郎訳、座右宝刊行会、一九七六年）
――『古代美術史』（中山典夫訳、中央公論美術出版、二〇〇一年）
ウェルギリウス『アエネーイス』上下（泉井久之助訳、岩波文庫、一九七六年）
ヴェルフリン、ハインリヒ『美術史の基礎概念』（守屋謙二訳、岩波書店、一九七〇年）
ウォルポール、ホレス『オトラント城綺譚』（平井呈一訳、牧神社、一九七五年、ほか）
エウセビオス『教会史』（秦剛平訳、講談社学術文庫、二〇一〇年）
エラスムス『痴愚神礼賛』（渡辺一夫訳、岩波文庫、一九五四年）
カイヨワ、ロジェ『物語 ポンス・ピラト』（金井裕訳、審美社、一九七五年）
金関丈夫「神を待つ女」（『新編 木馬と石牛』大林大良編、岩波文庫、一九九六年、所収）
カルヴァン、ジャン「聖遺物について」（『カルヴァン小論集』波木居齊二訳、岩波文庫、一九八二年、所収）

カント、イマヌエル『判断力批判』上下（篠田英雄訳、岩波文庫、一九六四年）
ギッシング、ジョージ『南イタリア周遊記』（小池滋訳、岩波文庫、一九九四年）
ギボン、エドワード『ローマ帝国衰亡史』全十一巻（中野好夫・朱牟田夏雄・中野好之訳、筑摩書房、一九九五―一九九六年）
『舊新約聖書』（日本聖書教会、一九八〇年）
桐敷真次郎・岡田哲史『ピラネージと『カンプスマルティウス』』（本の友社、一九九三年）
クーリー、レイモンド『ウロボロスの古写本』（渋谷正子訳、ハヤカワ文庫、二〇〇九年）
クリステヴァ、ジュリア『恐怖の権力』（枝川昌雄訳、法政大学出版局、二〇一六年）
クルツィウス、エルンスト・ロベルト『ヨーロッパ文学とラテン中世』（南大路振一・岸本通夫・中村善也訳、みすず書房、一九七一年）
ゲーテ、ヨハン・ヴォルフガング・フォン『イタリア紀行』上下（相良守峯訳、岩波文庫、一九六〇年）
――『タッソオ』（実吉捷郎訳、岩波文庫、一九五〇年）
コンブリ、ガエタノ『聖骸布』（サンパウロ、一九九八年）
サルディ、セベロ『歪んだ真珠』（旦敬介訳、筑摩書房、一九八九年）
澤木四方吉「アフロヂイテの脱衣」（『美術の都』、岩波文庫、一九九八年、所収）
ジイド、アンドレ『法王庁の抜け穴』（石川淳訳、岩波文庫、一九七〇年）

シャステル、アンドレ『ローマ劫掠』(越川倫明 他訳、筑摩書房、二〇〇六年)
『新約聖書　福音書』(塚本虎二訳、岩波文庫、一九六三年)
スタンダール『ローマ散歩Ⅱ』(臼田紘訳、新評論、二〇〇〇年)
ダ・ヴィンチ、レオナルド『レオナルド・ダ・ヴィンチの手記』上下(杉浦民平訳、岩波文庫、一九五四年)
ダグラス、メアリー『汚穢と禁忌』(塚本利明訳、思潮社、一九八五年)
武末祐子『グロテスク・美のイメージ――ドムス・アウレア、ピラネージからフロベールまで』(春風社、二〇一八年)
タッソ、トルクァート『エルサレム解放』(鷲平京子訳、岩波文庫、二〇一〇年)
谷川渥『形象と時間』(白水社、一九八六年、講談社学術文庫、一九九八年)
――『鏡と皮膚』(ポーラ文化研究所、一九九四年、ちくま学芸文庫、二〇〇一年)
――『廃墟の美学』(集英社新書、二〇〇三年)
――『肉体の迷宮』(東京書籍、二〇〇九年、ちくま学芸文庫、二〇一三年)
――「グラディーヴァ・ノート」(『シュルレアリスムのアメリカ』、みすず書房、二〇〇九年、所収)
――『文豪たちの西洋美術』(河出書房新社、二〇二〇年)
――『モンス・デジデリオ画集』(谷川渥解説、トレヴィル、二〇〇九年)
種村季弘「万有浮力の法則　あるいはファブリツィオ・クレリチの華やぐ知識」(『みづゑ』一九八六年春)

ダンヌンツィオ、ガブリエレ『聖セバスチャンの殉教』（三島由紀夫・池田弘太郎訳、美術出版社、一九六六年）
タフーリ、マンフレッド『球と迷宮』（八束はじめ訳、PARCO出版、一九九二年）
ダンテ、アリギエーリ『神曲「天国篇」』（寿岳文章訳、集英社文庫、二〇〇三年）
チェッリーニ、ベンヴェヌート『チェッリーニ自伝』上下（古賀弘人訳、岩波文庫、一九九三年）
デ・ウォラギネ、ヤコブス『黄金伝説』全4巻（前田敬作他訳、平凡社ライブラリー、二〇〇六年）
ディディ＝ユベルマン、ジョルジュ『ニンファ・モデルナ』（森元庸介訳、平凡社、二〇一三年）
――『残存するイメージ』（竹内孝宏・水野千依訳、人文書院、二〇〇五年）
ド・クインシー、トマス『阿片常用者の告白』（野島秀勝訳、岩波文庫、二〇〇七年）
ド・クラリ、ロベール『コンスタンチノープル遠征記』（伊藤敏樹訳・解説、筑摩書房、一九九五年）
ドールス、エウヘーニオ『バロック論』（成瀬駒男訳、筑摩書房、一九六九年、神吉敬三訳、美術出版社、一九九一年）
長尾重武（編著）『ピラネージ《牢獄》論　描かれた幻想の迷宮』（中央公論美術出版、二〇一五年）
――『ローマ――バロックの劇場都市』（丸善株式会社、一九九三年）
中里介山『大菩薩峠』全十二巻（筑摩書房、一九七〇～七一年）
ニーチェ、フリードリッヒ『悲劇の誕生』（秋山英夫訳、岩波文庫、一九六七年、ほか）

ビュシ＝グリュックスマン、クリスティーヌ『バロック的理性と女性原理』（杉本紀子訳、筑摩書房、一九八七年）
——『見ることの狂気』（谷川渥訳、ありな書房、一九九五年）
ピラネージ、G・B『ピラネージ建築論 対話』（横手義洋訳、岡田哲史校閲、アセテート、二〇〇四年）
フェルナンデス、ドミニック『シニョール・ジョヴァンニ』（田部武光訳、創元推理文庫、一九八四年）
——『天使の手のなかで』（岩崎力訳、早川書房、一九八五年）
——『天使の饗宴』（岩崎力訳、筑摩書房、一九八八年）
プラーツ、マリオ『官能の庭』（若桑みどり他訳、ありな書房、一九九二年）
——『ローマ百景Ⅰ』（伊藤博明・浦一章・白崎容子訳、ありな書房、二〇〇九年）
——『ローマ百景Ⅱ』（伊藤博明・上村清雄・白崎容子訳、ありな書房、二〇〇六年）
ブラウン、ダン『天使と悪魔』上中下（越前敏弥訳、角川文庫、二〇〇六年）
フリードレンダー、ヴァルター『マニエリスムとバロックの対立』（斎藤稔訳、岩崎美術社、一九七三年）
ブリヨン、マルセル『幻想芸術』（坂崎乙郎訳、紀伊國屋書店、一九六八年）
ブルーノ、ジョルダーノ『無限・宇宙と諸世界について』（清水純一訳、現代思潮社、一九六七年）
フロイド／イェンゼン『文学と精神分析』（安田徳太郎・安田洋治訳、角川文庫、一九六〇年）
フローベール、ギュスターヴ『サランボオ』上下（神戸孝訳、角川文庫、一九五四年）、『サラムボー』上下（中條屋進訳、岩波文庫、二〇一九年）

ブロッホ、エルンスト『ウェルギリウスの死』（川村二郎訳、集英社、一九六六年）
ペイター、ウォルター「ヴィンケルマン」（『ルネサンス』別宮貞徳訳、冨山房百科文庫、一九七七年、所収）
ベックフォード、ウィリアム『ヴァテック　亜刺比亜譚』（矢野目源一訳、生田耕作補訳・校註、牧神社、一九七四年）
ヘルダー、ヨハン・ゴットフリート・フォン『彫塑』（登張正実訳、中央公論社『世界の名著38』、一九七九年、所収）
ヘロドトス『歴史』上中下（松平千秋訳、岩波文庫、一九七一——一九七二年）
ベンヤミン、ヴァルター『ドイツ悲劇の根源』（川村二郎、三城満禧訳、法政大学出版局、一九七五年）
——『マグナ・グラエキア——ギリシア的南部イタリア遍歴』（種村季弘訳、平凡社、一九九六年）
ホッケ、グスタフ・ルネ『迷宮としての世界』（種村季弘・矢川澄子訳、美術出版社、一九六六年）
『ポオ全集』全3巻（東京創元社、一九六九年〜一九七〇年）
三島由紀夫『仮面の告白』（新潮文庫、一九五六年、ほか）
——『アポロの杯』（新潮文庫、一九八二年、ほか）
——『三島由紀夫の美学講座』（谷川渥編、ちくま文庫、二〇〇〇年）
モラヴィア、アルベルト『ローマの物語』（米川良夫訳、白水社、一九六七年）、『ローマ物語』I II（河島英昭訳、集英社文庫、一九八〇年）
モンテーニュ、ミシェル・エケム・ド『旅日記』（関根英雄訳、白水社、一九四九年）

ユルスナール、マルグリット『ハドリアヌス帝の回想』（多田智満子訳、白水社、一九六四年）

――『ピラネージの黒い脳髄』（多田智満子訳、白水社、一九八五年）

――『三島由紀夫あるいは空虚のヴィジョン』（澁澤龍彦訳、河出書房新社、一九八二年）

レ・ファニュ、シェリダン『吸血鬼カーミラ』（平井呈一訳、創元推理文庫、一九七〇年）

和辻哲郎『風土』（初版一九三五年、岩波書店、一九七九年）

――『イタリア古寺巡礼』（初版一九五〇年、岩波文庫、一九九一年）

図版引用文献

Fabrizio Clerici, a cura di Bruno Mantura, De Luca Editori d'Arte, 1990.

Anna Lo Bianco, *Cecilia: La storia, l'immagine, il mito*, Cambisano, 2006.

Luigi Ficacci, *Piranesi: The Complete Etchings*, Tachen, 2000.

谷川渥（たにがわ・あつし）　美学者・批評家。

著書

『構造と解釈』世界書院、一九八四年
『形象と時間　美的時間論序説』白水社、一九八六年／講談社学術文庫、一九九八年
『バロックの本箱』北宋社、一九九一年
『表象の迷宮』ありな書房、一九九二年、新編一九九五年
『美学の逆説』勁草書房、一九九三年／ちくま学芸文庫、二〇〇三年
『鏡と皮膚』ポーラ文化研究所、一九九四年／ちくま学芸文庫、二〇〇一年
『見ることの逸楽』白水社、一九九五年
『文学の皮膚』白水社、一九九六年
『幻想の地誌学』トレヴィル、一九九六年／ちくま学芸文庫、二〇〇〇年
『図説・だまし絵　もうひとつの美術史』河出書房新社、一九九九年／新装版、二〇一五年
『イコノクリティック』北宋社、二〇〇〇年
『芸術をめぐる言葉』美術出版社、二〇〇〇年
『廃墟の美学』集英社新書、二〇〇三年
『美のバロキスム　芸術学講義』武蔵野美術大学出版局、二〇〇六年
『芸術をめぐる言葉』美術出版社、二〇〇六年／新編、二〇一二年
『シュルレアリスムのアメリカ』みすず書房、二〇〇九年
『肉体の迷宮』東京書籍、二〇〇九年／ちくま学芸文庫、二〇一三年
『書物のエロティックス』右文書院、二〇一四年
『幻想の花園　図説 美学特殊講義』東京書籍、二〇一五年
『芸術表層論　批評という物語』論創社、二〇一七年
『カラー版　文豪たちの西洋美術』河出書房新社、二〇二〇年
『孤独な窃視者の夢想　日本近代文学のぞきからくり』月曜社、二〇二一年

訳書

ピエール＝マクシム・シュール『想像力と驚異』白水社、一九八三年
バルトルシャイティス『鏡』国書刊行会、一九九四年
クリスティーヌ・ビュシ＝グリュックスマン『見ることの狂気』ありな書房、一九九五年
アニエス・ジアール『愛の日本史　創世神話から現代の寓話まで』国書刊行会、二〇一八年
ロザリンド・クラウス『視覚的無意識』（共訳）月曜社、二〇一九年
――『アヴァンギャルドのオリジナリティ　モダニズムの神話』（共訳）月曜社、二〇二一年
ほか多数。

ローマの眠り　あるいはバロック的遁走

著者　谷川渥

二〇二二年一〇月三〇日　第一刷発行

発行者　神林豊
発行所　有限会社月曜社
〒一八二-〇〇〇六　東京都調布市西つつじヶ丘四-四七-三
電話　〇三-三九三五-〇五一五（営業）／〇四二-四八一-二五五七（編集）
FAX　〇四二-四八一-二五六一
http://getsuyosha.jp/

装画　ピラネージ《ヴィッラ・アドリアーナのカノプスの廃墟》
装幀　町口覚
印刷・製本　モリモト印刷株式会社

ISBN978-4-86503-154-6